李淳陽昆蟲記

昆蟲心智解碼實錄

李淳陽　文‧攝影

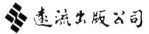

遠流出版公司

序　昆蟲的一生即人的一生

　　台灣是個小島，從地圖上看，它就掛在浩瀚的太平洋靠近亞洲大陸的一端，就空間的比例而言，也許不那麼起眼，但這塊土地上所孕育的生命型態之多樣，卻是世界上所有的生物科學家一致稱道的。在一個幅員不是很大的海域範圍內，島上有東南亞最高的山峰，四周有直落萬呎之深的海溝，每年寒暖流交錯，各方向的季節風由遠處帶來各地的生命種源，都在這裡發展出不同型態的生命表現。我記得我念小學的時候，自然課老師帶我們到阿里山去旅行，坐小火車從嘉義站蜿蜒而上，沿途老師指著窗外的樹木，不停的告訴我們，那是熱帶植物，那是亞熱帶植物，那是寒帶植物，那是闊葉，那是針葉。老師說：「生物多樣性，才是台灣被稱為寶島的意義！」我到現在都忘不了老師說話時那副驕傲的神色。

　　但多樣性不只是指類別的差異，它其實有更深的涵義，即使在物質世界和生態世界的生存條件是那麼極端的不適當下（如極冷、極熱、極高壓、疾風不斷，或極硬的石頭縫邊），都仍會找到各種形式的生命，這種彈性與韌性，才是生物多樣性的精義之處。所以能欣賞生物多樣性的人，才真能體會生命的可貴，才真能理解民胞物與的情操而有天人合一的境界。

所以，當我打開這本昆蟲圖像大展的書時，我不但看到作者一生努力的成品，更能聆聽他對生命多樣所譜的樂章。每一種昆蟲對他而言，都不只是一種要被標示的昆蟲類而已，他親近牠們，了解牠們的生態環境，記錄牠們的生活故事，待牠們如至親好友，所以他才能感受到昆蟲之間的情感世界。他大膽的把這個想法寫出來，對持傳統的「人才是萬物之靈」觀點的學院派學者而言，也許會帶給他們些許震撼，他們當中有些人或許會為這些「離經叛道」的非學術語言感到生氣；或者他們也有一些人會不以為意，認為李先生提出昆蟲也有情感的說法，只不過是一些業餘人員感情用事的喃喃自語罷了。但我並不認同這些學院派的看法。我認為作者所觀察到的是昆蟲的生活體系，而那個體系是會因為其中組成份子的遭遇（例如死亡），使社會組織的平衡受到破壞。在恢復平衡的過程中，其他昆蟲的反應，就是最原始的社會行為的表現。所以就這個意義而言，我是會理解作者的說法的，當然我的科學訓練不會允許我做那樣大膽的擬人化陳述。也許我該羨慕作者無拘無束的直覺與直陳。我們為了客觀，就會把一些尚無法做到客觀的觀察拋棄，也許我們在研究的過程上，為了把洗澡水倒掉，卻把澡盆裡的嬰兒一齊倒掉了。李先生的這本書，真的一再引起我的反省！

一九七五年，生物界的大事是威爾森（Edward O. Wilson）出版了他最引起爭論的一本大作《社會生物學》（"Sociobiology"），企圖把類人類社會行為的觀念，帶進動物行為研究的範疇裡，甚至把「犧牲小我，完成大我」這樣高貴的情操套在蟲蟻的行為中，試圖解開「自私的基因」的桎梏。書剛問世時，學界對威爾森的看法，也立即有兩端的反應。反對的人認為他在證據不完全的時候就已經是癡人說夢話，有失科學家的立場。但贊成他論點的人也不少，他們認為威爾森是敢言人之不敢言者，而動物行為的研究如果只著重個體在生理解剖上的描繪，就不如到博物館去看死的標本，只有把動物和動物（同屬性或不同屬性）之間的互動關係，放在社會組成的架構去了解，才能看到動物的生活型態，也才能感受到他們的愛恨交集的生命表現。經過多年的努力，威爾森的社會生物學終於成為科學界的一門顯學了。他前幾年連續幾本書都已經提到「人」性的層次，罵他的人仍有，但已經是少數中的極少數了！

　　所以，我讀李先生一則又一則的昆蟲生活記事，我是以社會生物學的觀點來欣賞的，一點也不會感到他認為「昆蟲也有智能，會思考；有感情，會猜

疑；會健忘，也會發脾氣……」是一些「異想天開，匪夷所思」的看法。我其實還可以加上，昆蟲也會「欺騙」（也許說「偽裝」會使學院派的人舒服一些），也會有「誘蟲入彀」的奸詐行為哩！

最喜歡看到李先生操弄自然界的一些事物，再去觀察昆蟲行為的變化，以作為論證的數據，他把田野當做實驗室的作法，與生態生物科學的作為，基本上並無二致。他的故事更有趣，而且就發生在我們的附近，所以讀來更為親切。我真的很喜歡這本書，對李先生真是充滿了敬意！

曾志朗

（中研院副院長）

自序　蟲心・我心

　　讀中學時，我常會看到這樣的景象：各種不同的昆蟲，圍繞著我家二樓陽台外的燈，不停的飛撲，爭相投入燈罩中。一旦飛進去後，唯一的結果就是被高熱的燈泡燙死了。

　　「飛蛾撲火，真是愚蠢的本能行為啊！」我不免會這樣想。

　　大學畢業後，我進入農業試驗單位，開始從事害蟲防治的工作。當時我曾仔細觀察誘蛾燈，發現即使是同一種昆蟲，在同一時間、地點，有的會飛向誘蛾燈，有的卻不會。在這種「趨光行為」上，為什麼會有這樣的差異呢？如果能夠深入研究的話，應該會是很有意思的。不過，做這種研究必須熬夜守候，對於白天必須上班的我來說有困難；而且一時也不知該如何著手，因此也就沒有進行。

　　如今，我早已自工作崗位退休，年歲也大，有時會想到：一輩子與昆蟲為伍的我，對於「昆蟲到底是什麼樣的生物？」這一點，的確是有我自己的想法。做為人類的一份子，我應該要對「同胞」盡一點責任，好好說出自己的觀點才對。

　　就像人們會「創造」出「飛蛾撲火」這個成語一樣，一般人總是認為昆蟲「沒有頭腦」，牠們的種種行為，都只是照著「本能」的命令在進行。也就是

說，牠們只不過是「本能的奴隸」罷了。這正是人們長久以來根深蒂固的觀念。

　　然而，我完全不同意這種看法。我從二十二歲開始從事昆蟲研究，至今已經超過六十年了。在這麼長久的時光中，不但對昆蟲的行為做過長期的觀察、記錄、試驗，同時也拍成一部昆蟲電影。在艱難、費事的拍攝過程中，我不斷的失敗、重拍，同一場面常常會重拍很多次；就因為這樣，使得我對於昆蟲的各種行為看過一遍又一遍，因而發現了：昆蟲也有智能，會思考；有感情，會猜疑；會健忘，也會發脾氣……。

　　這樣的說法，會不會是太過於異想天開、匪夷所思呢？

　　在以下各章，將會詳細敘述我的各種發現之經過，把我這一生研究所得的各個實例，一一呈現、解說，並且提出我經過多年思索後的結論。

　　昆蟲也有「心」，在很多方面，牠們跟人類一樣，也會過著「精神生活」。如果能夠瞭解這些事實，相信我們也就可以更加瞭解「人類」到底是什麼樣的生物。

　　這就是我寫這本書的用意。

李淳陽

目錄

【 序 】昆蟲的一生即人的一生 …曾志朗 2

【自 序】蟲我‧我心 …………………………… 6

【序 曲】生與愛 …………………………………… 10

【第1章】與昆蟲相遇 …………………………… 38
　　　　初識法布爾
　　　　放大鏡下的奇景

【第2章】求愛高手 …………………………… 44
　　　　野地蠅的結婚禮餅
　　　　【紙上電影】野地蠅的結婚禮餅
　　　　其他的求婚花招
　　　　昆蟲情殺案

【第3章】六隻腳的彈性力學家 ……………… 62
　　　　搖籃蟲的震撼
　　　　巧妙的折捲功夫
　　　　【紙上電影】黑點搖籃蟲捲葉苞
　　　　馬虎的搖籃蟲
　　　　葉苞內的幼蟲如何維生？
　　　　搖籃蟲為何一再檢查彈性？
　　　　不依照「對比」的思考

【第4章】高明的狩獵者 ………………………… 88
　　　　狩獵蜂與捲葉蟲
　　　　蜂也會鬥智嗎？

【第5章】狩獵蜂的築巢研究 ………………… 98
　　　　撿現成住家者
　　　　育嬰室的準備
　　　　以泥隔間
　　　　不同的封口方式
　　　　當外敵來騷擾

【第6章】本能‧智能‧超能 ……… 118

　　昆蟲是「本能的奴隸」嗎？

　　本能與智能

　　【紙上電影】當獵物卡在洞口

　　如果蜂卵失而復得

　　築巢步驟可以變動嗎？

　　不可思議的超能力

【第7章】昆蟲真的會像人一樣嗎？ …… 144

　　昆蟲會感到快樂和悲傷嗎？

　　【紙上電影】虎斑蜂在哭嗎？

　　受驚嚇的蜂

　　蜂也會健忘

　　會懷疑的蜂

【第8章】狩獵蜂的算術測驗 ……… 168

　　難忘的狩獵蜂

　　蜂的加法測驗

　　蜂的減法測驗

　　真的會做算術嗎？

　　是「迷你電腦」的作用嗎？

【第9章】愛是生之原動力 ……… 182

　　人比昆蟲聰明嗎？

　　昆蟲有母愛嗎？

　　如果巢被移動了

　　如果大環境也改變了

　　能像鴿子一樣歸巢嗎？

【結　語】用愛去思考 ……… 194

【後　記】 ……… 198

生與愛

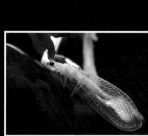

無所不在

　　全世界的昆蟲種類數以百萬計，但是單單種類多有意義嗎？爬來爬去，看到燈火便要飛撲過去，如此的生物有什麼好研究的？地球上最早的昆蟲出現於四億年前。時至今日，昆蟲已是地球上最能適應環境、分布最廣且種類最多的生物。不管是沙漠、極地、海水中、油田裡，甚至高山地帶的冰雪上，幾乎任何地方都有昆蟲生存其間。不管你喜不喜歡牠們，昆蟲的的確確生活在我們周遭。

13

存活之祕

　　如果地球到了末日，當惡劣的環境變化消滅了大部分物種（包括人類在內），或許昆蟲還能夠倖存，因為牠們不僅種類、數量繁多，更具有強韌而微妙的生命力。其中一項重要的能力便是——「變態」。假設環境變化消滅了成蟲，可能還有其他生長階段的卵、幼蟲或蛹，能夠繼續生存、繁衍下去，使牠們不易絕種。

攝食

　　吃與被吃是昆蟲命運的一部分。昆蟲除了是不少動物的食物，有些昆蟲也捕食其他昆蟲維生。而大部分的昆蟲是以植物為主食，有的種類偏好特定或單一的植物，有些雜食性昆蟲的菜單則多達數十種甚至上百種。然而，令我們驚訝的除了牠們的胃口，還有牠們取食的「口器」。桑天牛的口器是典型的咀嚼型，一對像鐵鉗般的大顎可咬碎堅硬的樹皮；蜂類的口器很特殊，不僅能咬、吸，還能舔食哩。

自衛術

　　昆蟲有各種不同的自衛方式，像這隻鳳蝶的幼蟲就會用毒氣來嚇退敵人。牠的頭部有叉狀的構造，稱為「臭角」，可以釋放出惡臭的氣體；不用的時候，還可以縮回體內。而另一個傢伙──象鼻蟲就更省事，遇到強敵，乾脆掉到地上、六腳朝天的裝死。之後牠試著翻身爬起來，這事有時不是頂容易，但最後牠還是成功了。

隱身

　　昆蟲的世界和人類的世界有點相似──真真假假、虛虛
實實。有些種類的幼蟲會就地取材找雜物頂在身上，讓自
己看起來像一堆會移動的小型垃圾。有些昆蟲則在型態、
顏色與花紋上，模仿所在的棲息環境。這些隱身術常能讓
牠們成功的靠近獵物或騙過獵食者。

求愛與交尾

　　搖蚊在空中展開一場壯觀的集團求婚舞會；雄野地蠅則會製作禮餅贈送交配的對象；螢火蟲的閃爍信號是為了在黑夜中尋找伴侶；利用「香水」來吸引異性可不是人類專利，蛾類也是箇中高手！……對昆蟲來說，要生存下去並不容易。但生活也有快樂的一面，例如交配。這個愛，讓牠們覺得一路走來的辛苦還是值得的。

母像

　　一般來說，昆蟲的卵既小且不顯眼，不容易被天敵察覺和加害。但是在這個弱肉強食的世界裡，沒有任何動物能夠完全安枕無憂的度過一生。這隻狩獵蜂即為了扶養年幼的子女，拼命地築造泥巢，直到壽命終盡，死在牠未完成的巢下。

搖籃曲

　　把一片葉子捲折起來，躲在裡面，同時解決「住」和「吃」的問題，這對弱小的蟲寶寶而言，是相當安全的生活方式。不少蛾類的幼蟲會自己吐出細絲，將葉子捲折成葉苞，或者利用小樹枝黏成蟲袋將自己藏身其中。而有些象鼻蟲則只需要利用六隻腳就能完成一個別致的育嬰葉苞。這些葉苞製造者可稱得上是昆蟲中的傑出工程師。

奇蹟

　　這可說是自然界的魔力，也是一種昆蟲奇蹟。「蟲癭」是植物體受到昆蟲產卵，或幼蟲攝食時注入某些物質刺激，所引起的異常生長組織。這個植物上的變形構造，形成了幼蟲的天然庇護所，並提供食物，讓牠們在裡面成長。蟲癭的構造變化很大，有的看起來像鈕釦、小型蘋果、香蕉、單純的刺，甚至是纖細的花。而有些蟲癭切開後會發現有不同種類的幼蟲共處一室，主人和食客各取所需、相安無事在裡面長大。

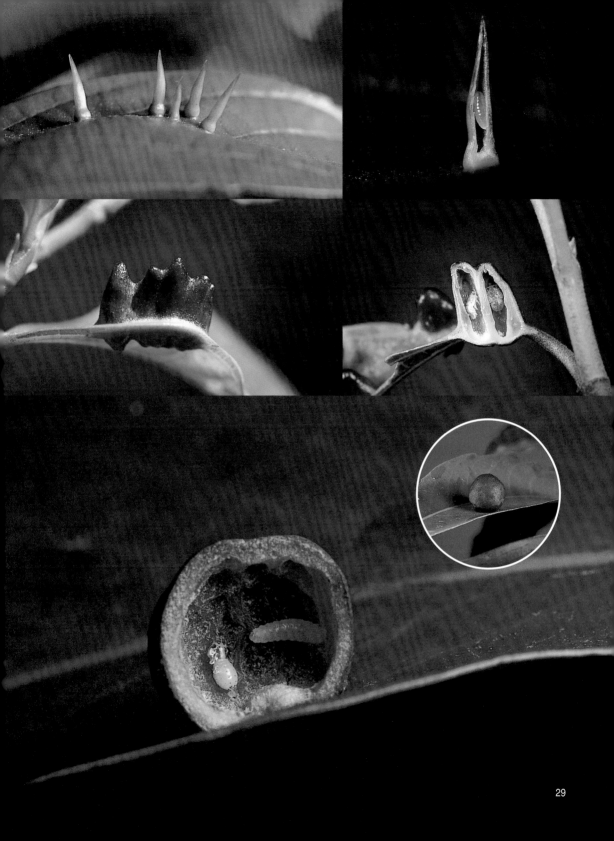

自由

多數的幼蟲變為成蟲時，就可結束一直在地上、樹上爬行的「可憐的時代」，擁有翅膀讓牠們可以自由的在空中飛翔。這對人類來說是一個不可能的夢，但是對昆蟲而言，卻只是一個簡單明瞭的事實。長出翅膀，過完全不同模式的生活，不僅讓昆蟲能輕易避開地面的天敵，同時也意味著獲得行動上的大自由。

本能或智能？

　　有人說：「昆蟲是本能的奴隸」。如果真是這樣，我必須說奴隸也有心靈。看看這隻蜂，正努力的要把牠的大獵物——蜘蛛運到在高牆上的巢內。但牠拉了一小段就體力不支，蜘蛛因而掉到地上。牠下來撿起蜘蛛，又試了兩、三次，還是無法將蜘蛛拉上去。如果按照專家的說法，本能是固定不會中途改變的話，那麼這隻蜂一定會繼續努力、直到力竭而死。可是經過幾次努力無效後，蜂終於放棄蜘蛛飛走了。是什麼使牠改變本能行動？

界線

「哇，好美的蝴蝶！」若你如此驚歎可能會被指正，因為這是蛾，不是蝶。假如你不能信服這樣的區分，那你就是我的「同志」。當我第一次看到時也誤認為牠是蝴蝶，但我不認為我犯了大錯。想要在大自然中，劃一條絕對的界線來區分一切事物，何者屬這邊，何者屬那邊，是非常困難的。大自然的奧祕，總有人類尚未窮盡之處，但是愛卻能夠跨越物種的藩籬，帶領我們探索生命的真諦。

愛孕育了萬物，昆蟲也不例外……

第 1 章

與昆蟲相遇

法布爾對於昆蟲行為觀察得鉅細靡遺,以及他所使用的各種巧妙的測試方法,對我來說,不但感到欽佩,也有高度的啟發。他在這方面的觀察、研究,可說是對我影響最大的……

●交配中的負泥蟲

初識法布爾

民國二十六年（1937），我就讀中學二年級，新來的博物老師，是剛從台北帝國大學畢業的松本先生。他讓學生一見就感覺很友善，而且要大家稱他為「兄貴」（ani-ki），就是日語「老大」的意思。我們很高興，因為不用傷腦筋想其他的綽號了。

這位「兄貴」很了不起的是，他不但文質彬彬，而且教學也很認真。本來我對博物並沒有特別感興趣，可能是由於前任老師的教法枯燥無味，沒有啟發性。可是松本先生完全不同，他一來，就在學生中組織一個「博物同好會」，在假日時，由他帶領去野外、山地，觀察植物、小動物、昆蟲等。我也立刻就加入了。

松本先生教了我一件很重要的事。有一次他對全班說：「在這一課的課本中，有一個錯誤，你們找找看，找得到的人有賞。」結果全班沒人找得出來，等他指出來時，大家才恍然大悟。這就是他要教我們的：盡信書，不如無書。

松本先生對我最大的啟發，是介紹了法國昆蟲學家法布爾（Jean Henri Fabre，1823～1915）的故事，並且要我們閱讀法布爾的名著《昆蟲記》（Souvenirs Entomologiques）。我馬上就把全套十本都買了，其中，我感到最精采的，是關於狩獵蜂的行為。

法布爾觀察狩獵蜂，想要知道牠們有沒有智能？會不會思考？他的結論是否定的，認為牠們只是靠本能來行動。這一點，使我感到很失望。如果結論是肯定的話，我們人類就可以有「新朋友」了，當時的我是這樣想的。

雖然如此，但是因為法布爾對於昆蟲行為觀察得鉅細靡遺，以及他所使用的各種巧妙的測試方法，對我來說，不但感到欽佩，也有高度的啟發。他在這方面的觀察、研究，可說是對我影響最大的。

另外，我還記得有一件事，也許不是法布爾自己在書上記載的，而是別人在其他書中所提到的──法布爾曾在山上，看到一隻狩獵蜂抓了獵物要帶回巢中，在飛行途中，發現小溪流上漂浮著一片樹葉，於是牠就飛下去，停在葉片上順水而流。法布爾懷疑：「這隻蜂是不是想搭『便車』，節省飛回家的體力？如果是真的，那實在是了不起！」

當時的我也認為：如果真是如此，那將會是了不起的大事！同時也希望有一天，能有偉大的昆蟲學家來解答這問題。

中學時代的我，其實對昆蟲並沒有特別感興趣，也沒想過將來會和昆蟲長期為伍，並研究牠們的行為。但是法布爾這個「蜂搭樹葉船」的故事，卻從那時起就深深印在我的心中。我是極有好奇心的人，不同意西洋諺語「好奇殺死貓」的說法，寧願認為：「好奇是發現之母。」事實上，如果我沒有這種好奇的個性，就不可能有本書所敘述的各種發現了。

放大鏡下的奇景

自大學畢業後，我就進入日治時期的「台灣總督府農業試驗所」。當時農試所原則上並不雇用台灣人當職員，因為日本人認為台灣人一心只想賺錢，總是選擇當醫師、律師等，所以不適合做研究工作。沒想到，農試所竟採用了我，這只能歸諸於「上天的安排」吧。我本是讀植物病理的，卻被要求去做害蟲的研究工作，也只能接受。

剛開始時，我實在是無法喜歡那些毛茸茸、蠕動不停的各種昆蟲。直到有一天，發生了一件事，才徹底改變了我的觀感。

當時我因為工作所需，必須要觀察負泥蟲的交配情形，這是水稻五大害蟲之一。我見到一個奇特的場面，不由得驚奇的發出「怪聲」來。

「有什麼好看的嗎？」我的同事好奇的問。

「你自己看吧！」我把放大鏡遞給他。

他專心的看了一陣，也不禁笑起來了。原來，在放大鏡底下，雄蟲正在抽動生殖器，而雌蟲則用中肢不停的愛撫著雄蟲的側腹來回應。不久，雄蟲就射精了──由於雄蟲的生殖器是半透明的，所以可以清楚看見精液的流動。

我們以為這就是交配動作的尾聲了，其實不然。雄蟲看來並不想馬上離開雌蟲，仍然還是騎在牠的背上。然後，突然滾落在雌蟲的身旁。

「哎呀，真是累得要命啊……」同事這樣戲謔的笑著說。

這時，只見雄蟲躺了一陣子後，又翻身而起，再度爬上雌蟲的背上，牠並不是要做什麼，只是在雌蟲背上轉了幾圈，然後慢慢的爬下來，以留連不捨的步伐，慢慢離去。

身長只有六至七毫米的小昆蟲，竟然也有感情！這一對負泥蟲，徹底的改變了我對昆蟲的看法。

做動物行為的研究，本來就是一件既耗時又辛苦的工作。

日本有位日高敏隆教授，是知名的動物行為學者，他曾在報紙上做了這樣的告白：「我曾被我的學生上了一課。那是我無意中說出內心的願望──我總是多麼希望能夠對動物的

行為有大發現。有一位學生就站起來問：『老師，你光只是這樣想，有用嗎？』」

　　日高教授並沒說明他是如何回答這位學生。但是，他身為一位極受敬仰的動物行為學者，當然非常清楚：並沒有任何方便捷徑，可以指引一個人對動物行為輕易的有偉大的發現；只有靠著持續不斷的努力，勤奮的在野外睜大雙眼、保持靈敏的頭腦，再加上一些運氣，才能有所發現。

　　除此之外，我認為還有一種認知也很重要，那就是要體認到所有生物都是平等的，而且在某些精神層面上，其他動物也跟人類非常相像。

　　毫無疑問，這種認知早在我年輕時代觀察負泥蟲的交配時，就已經進入我的潛意識之中，而且一直留存著……🦟

第2章

求愛高手

我偶然間看到交配中的雄蠅騎在雌蠅背上，而雌蠅卻忙著享受稻莖上一團白色泡沫狀的食物。我的腦海裡立刻浮現出一個想法：這不就是昆蟲「饋贈結婚禮物」的最好例子嗎？於是我決定把整個過程拍攝下來……

● 交配中的野地蠅，上方是雄蠅，下方的雌蠅正在吃一團白色泡沫。

野地蠅的結婚禮餅

在我親眼觀察過的昆蟲求愛交配的行為中，最標準、最有君子風度的，就是「野地蠅」（*Sepedon sauteri*）。這是在亞洲地區，水田或沼澤內的植物上最常見的蠅類。牠的外表是單調的深棕色，一點也不顯眼。本來對我而言，看到牠們在稻莖上拍動翅膀時，並沒有什麼特別意義。但是有一天，非常意外的，牠們竟然成為我日夜相處的「同伴」，甚至佔去了我生命中整整三年的寶貴歲月。

那次，我偶然間看到交配中的雄蠅騎在雌蠅背上，而雌蠅卻忙著享受稻莖上一團白色泡沫狀的食物。我的腦海裡立刻浮現出一個想法：這不就是昆蟲「饋贈結婚禮物」的最好例子嗎？於是我決定把整個過程拍攝下來。

但是這項工作會是多麼不易而費時的呀！我當然可以想像得到雌蠅所吃的這團東西，是由雄蠅供給的，但牠到底是如何製造呢？一點概念都沒有，何況還要將它拍成影片！我不免對自己的決定猶豫了。可是在強烈的好奇心驅使下，實在沒有理由不去試試。

於是，我便和助手到水田裡抓了數十隻來，將牠們放養在用花盆種著水稻的迷你溫室內。經過幾天的守候，我們所能見到的，每次都已經是「雄蠅騎在雌蠅背上，而雌蠅忙著享受食物」這場景，我們判斷牠們的求偶行為一定是太快就表演完了，光靠四隻眼睛沒辦法找到這齣「愛情劇」的開端。

因此，在一個星期日的早晨，我集合了全家四人和助手到溫室裡，在花盆兩邊一字排開，十隻眼睛緊緊盯著每株水稻上的每隻野地蠅，期待能看到牠們幽會開端的那瞬間。隨著時間一直過去，我們忍著飢餓瞪大雙眼，不停的掃瞄「水稻

舞台」。

突然，我的助手大叫：「在這兒！」就在他面前稻莖上的一對蠅，其中一隻不停的把頭抬上抬下，從口器分泌出白色泡沫狀的東西；另一隻則靜靜的在上方「梳洗頭腳」。當泡沫狀物分泌得越來越大時，上方的蠅停止梳洗，慢慢的爬下來；而下方正製造「禮餅」的那隻，則緩緩的爬到一邊。等牠開始吃了幾秒鐘，「禮餅製造者」突然跳到牠背上進行交配。這隻「新娘」看來正沈醉於香甜的「結婚禮餅」中，也就心甘情願的自動接受了背上的「新郎」。

●下方的雄蠅正在做「禮餅」，雌蠅在上方等待。

●「禮餅」做好了，雌蠅爬下來，開始享用，雄蠅則移到一側等待著。

　　終於看到這一幕活生生的愛情戲劇，我們都很高興。但是在我心中很快浮現一連串的問題：小倆口是如何在一起碰面的？在新郎送「禮餅」之前，是否先做過什麼求偶儀式？如果有，是如何進行的呢？……這些問題，顯然光靠眼睛瞄來瞄去是找不到答案的。因此，我決定把牠們養在飼養箱內，長期來仔細觀察。

　　這種蠅的幼蟲生長在水中，以水生螺類為食，很容易飼養。當牠們浮在水面上的蛹羽化後，我們馬上鑑定性別，分開飼養，並且餵以牛肉、牛奶、蛋黃和魚肉等食物。一星期後，可以來試驗了。

　　我們把一隻雄蠅移到種有稻株的玻璃圓筒內，確定這老兄已經在這「洞房」中非常適應了，又見牠不時的振動翅膀（這是動情或交配呼喚的信號），我們馬上放進一隻「處女蠅」。在圓筒內，雌蠅站在稻株較高的位置，對於在下方而且頭

●雌蠅正吃著，雄蠅突然跳
上去跟牠交配。

朝下的雄蠅不太注意。但當雄蠅拍動雙翅，產生聲音或空氣振動，身體也左右抖動時，雌蠅突然很快的跑下來與雄蠅相會。

當雄蠅察覺雌蠅到了背後，馬上轉身盯著雌蠅，同時立刻在牠面前舞動前腳，動作是那麼誇張，好像不只是在說服，更像是在大力吹噓能為雌蠅做出多麼了不起的事情似的。

這時的雌蠅，興奮得直發抖，不時用前腳撫摸雄蠅的前腳。很顯然的，雌蠅已陶醉在雄蠅的示愛中。可是雄蠅仍然繼續其動作一段時間，之後才轉身去製作聞名天下的「結婚禮餅」。

當雄蠅剛開始做這泡沫黏液的禮餅，沒一會兒，雌蠅就已迫不急待的下來檢視，想要吃它，但雄蠅很不客氣的用整個身體把雌蠅推回去。雌蠅會不會因而生氣、走開呢？不會的，牠只是嫻靜的等了一會兒，然後再下來試試看，但立刻又被雄蠅不客氣的推了回去。我幾乎可聽到雌蠅在說：「好嘛！我會做個好女孩，我會繼續等著，耐心的等著。」

雌蠅回到上方的原處後，就好好的坐下來了。事實上，牠有時會完全忘記新郎在底下所做的事，專心一意的梳洗儀容。這時，工作過度的可憐新郎，並不懂得要如何呼喚新娘，只是一直笨拙的把已經夠大的禮餅修來修去。

不過，在雌蠅被推回去兩次後，似乎便能察覺何時才是適當時機。當雌蠅下來享用禮餅時，雄蠅便移到旁邊靜靜的等了一會兒，之後突然跳到雌蠅的身上，開始交配……。

結果，我們知道，還是不要隨便吃別人送的東西比較好！

不過，並不是所有的雌蠅都會那麼不小心就被一個小小的

禮餅騙去。有些雌蠅在雄蠅正要騎到身上時，會突然快快的振翅飛走，只留下可憐的傻雄蠅呆立在稻株上，想不透這回的「甜餅攻勢」為何會失敗。

雄蠅想不透是有道理的，也是很自然的事。事實上，牠所製造的禮餅，可能真是天下一品的美味，甚至連我也會動心，很想要嚐一嚐哩。當我正在觀察一對野地蠅在稻株上交配時，看見一隻螞蟻路過稻莖後面，雖然螞蟻看不見牠們的結婚禮餅，還是被香味吸引，向禮餅爬過來。這動作不但驚嚇了這對「新人」，螞蟻老兄還把牠們推開，竟然也就不客氣的享用起這美味來了。只不過這餅是為雌蠅專門調製的，又黏、泡沫又多，螞蟻的口器根本無法享用。牠掙扎了一陣，終於還是放棄了。

目睹這場面，我也開始考慮要嚐嚐這禮餅的滋味，但是，最後我並沒有付諸行動。不是因為它太小，而是因為我知道這種野地蠅的學名第一個字是 "sepedon"，這字來自希臘語，它的意思是「腐敗」。

當我的攝影工作結束，準備要帶牠們出去放生時，我把原先分別飼養的雄蠅、雌蠅放進同一個飼養箱內──沒想到，雌蠅與雄蠅彼此一碰面，立刻就進行交配，根本不需要「送禮餅」的繁縟儀式，甚至雙方連腳都不必抖動一下！

當然，還是有「傳統主義者」，仍然重視儀式和禮貌，吐出一點點禮餅意思意思，才開始交配；但絕少有雄蠅會像前面所述，大費周章的顫動雙腳，表演一番。

因此，我有充分的理由相信：這種由雄性野地蠅所做的禮餅，只是為了填滿雌蠅的肚子，並不含有所謂「不道德」的成分（例如春藥之類）。

野地蠅的
結婚禮餅

1 雄蠅在跳舞，扭著身體，鼓動翅膀。這是求愛[]動作

4 雄蠅與雌蠅面對面，下方的雄蠅立刻開始求愛

5 雄蠅舞動前肢，同時拍動翅膀，好像是要說服[]蠅。當雄蠅用前肢碰觸雌蠅，雌蠅很快的也回碰

8 雄蠅開始做「禮餅」，牠從口中吐出白色物質

9 當雄蠅正擺動頭部一上一下的做著「禮餅」時[]雌蠅立刻下來看

在上方的雌蠅，發現有雄蠅在求愛，很快的走
下來

③ 雄蠅知道有一隻雌蠅下來了，轉身面對雌蠅

雙方互碰一段時間，似乎已經取得共識了，於
是雄蠅開始轉身

⑦ 雄蠅轉身了，背對著雌蠅，準備做「禮餅」

雌蠅靠近，急著想馬上就吃，雄蠅卻很不客氣
的推開牠

⑪ 被拒絕後，雌蠅回到上方等待

12 雄蠅繼續做，可以看到牠的頭部下方出現白色的泡沫了

13 雌蠅等了一下，還是忍不住要下去吃，但雄蠅粗暴的將牠推回去

16 換個角度，從原先場面的另一邊看過去

17 「禮餅」完成了，雌蠅可以下來吃了

20 雄蠅跳到雌蠅背上

21 雄蠅終於騎在雌蠅背上，達成牠的目的

雌蠅被推回去後，靜靜等候。白色「禮餅」快要做好了

15 雄蠅已經把「禮餅」做得夠大了

當雌蠅開始吃，雄蠅移到旁邊

19 雌蠅正忙著吃，雄蠅抓住這機會，準備要跳上去交配

現在，雌蠅可以好好的享用「禮餅」了

其他的求婚花招

　　另一個昆蟲求婚的典型例子，是一種紐西蘭所產的舞蠅 *Hilara maura*，牠們的外型、大小和蚊子很類似。在求偶行為中雄舞蠅會贈送禮物給雌舞蠅。這種禮物，通常是包在絲球內或泡沫球內的小昆蟲，例如蚊、蚋等。這些雄舞蠅的前腳具有特殊的絲腺，能夠吐出絲來，細心包裝「禮餅」。當雌舞蠅匆匆忙忙的拆開包裝，吃起這禮餅時，雄舞蠅就把握機會，進行交配行為。這種送禮的用意，可能就是要使雌舞蠅分心，以便讓雄舞蠅能趁機與牠交配。否則雌舞蠅會抓住雄舞蠅，吃掉牠。有趣的是，也有雄舞蠅在看到地上有雌舞蠅不小心掉下的「禮餅」時，就撿起來，向另一隻雌舞蠅求愛。

　　不過，並不是所有的 *Hilara maura* 都是謙謙君子。據說有些 *Hilara maura* 的雄舞蠅在出發去「舞會」時，會撿起小葉片或小花瓣等，冒充是小昆蟲，包裹細絲後，在「婚禮」進行前送給雌舞蠅。當雌舞蠅發現上當時，這位愛情騙子已經完成好事了。

　　在我們台灣，郊外或鄉下水田地帶也常可見到搖蚊的「集團舞會」。牠們有時會像小型龍捲風似的飛舞，或是形成一個大小不一的集團，在空中飛來移去。這正是空中飛舞求偶的儀式，牠們會在這樣的場合中尋找結婚對象。

　　如果仔細觀察，可以看到成雙成對的搖蚊「新婚夫婦」正飛離群體，在空中進行交配。

　　在求愛行動中會欺騙對手的，不只是一些 *Hilara maura* 的

雄蠅而已。像雄的舉尾蟲也會欺騙對手。但對手不是雌蟲，而是雄的。牠們是不是「同志」？差多了。

在求愛時，雄的舉尾蟲會把小昆蟲送給雌蟲，這是送給新娘的「禮餅」，而雌蟲則會把尾部伸向雄蟲，表示已準備好要交配。但是除非雌蟲擺出這種姿勢，否則雄蟲是不會給牠禮餅的。

雄蟲有理由像這樣的「現金交易主義」，因為牠們生來就

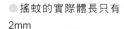

●搖蚊的實際體長只有 2mm

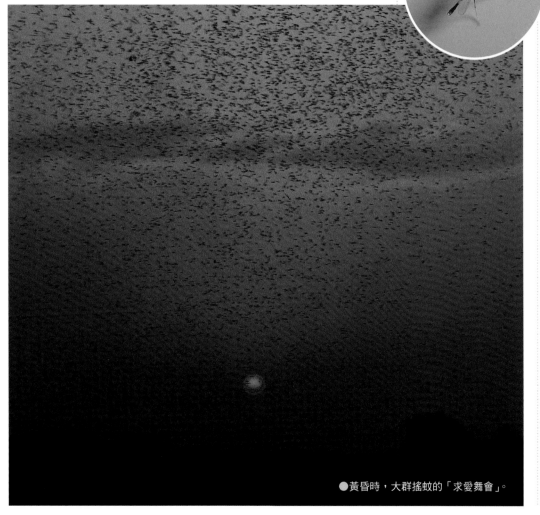

●黃昏時，大群搖蚊的「求愛舞會」。

不太強壯，如果要到山林原野抓其他小蟲來當做禮餅，實在很不簡單。在野外狩獵是極端危險的事，到處都有蜘蛛、鳥類、蜥蜴等動物，正張著大嘴，等待牠們自投羅網哩。於是，雄舉尾蟲就會想辦法，四處飛來飛去，找尋那些手中已有禮物，卻仍在等候雌蟲出現的其他同類雄蟲。

一旦發現對象，就上前擺出「準備接受求愛」的雌蟲的姿勢：伸出翅膀，推出尾部，趨向對方，裝得就像一隻準備交配的雌蟲一樣。那隻已等候太久而不耐煩的雄蟲，這時連看都不看清楚，就先交出禮餅，而「騙子」趁機一抓住禮餅就掉頭飛走了。

昆蟲情殺案

就人類來說，有時情人之間會有「因愛生妒」的情形，這種事也會發生在昆蟲身上嗎？我曾看到一對無尾鳳蝶「熱情」的交配情景，熱情的程度，連我也不免感到驚訝。當時我

●正在交配中的無尾鳳蝶

的幻想也隨之而起：有不少種類的雄蝶，在結束交配後，不喜歡牠的伴侶再去和別的雄蝶交配，就想辦法阻止。用什麼方法呢？「貞操帶！」──當交配結束後，雄蟲會分泌一種黏性物質，包住雌蟲的性器官。

從這點來看，原來貞操帶並不是羅馬士兵首創的。不過，雄蟲也不能就此放心，因為有些種類的雄蝶能夠破開雌性的貞操帶，以達到牠們的目的。這樣看來。我們也許應該說有些昆蟲也是「萬物之靈」吧！

如果說雄蟲會妒嫉、有佔有慾，那麼雌蟲也應該會。看看螳螂的交配就可能明白。

有人說螳螂是很「殘忍」的，殘忍到什麼程度呢？請看下頁圖，雄蟲的頭沒有了，跑到雌螳螂的肚子裡去了！這是如何發生的？

首先，我們要上一節課：昆蟲的神經系統和大部分的動物不一樣。牠們的身體各節內，都有半獨立的神經球，控制著生長在該體節的器官，如翅膀或腿腳。頭部的腦控制各體節的神經球，但神經球也可以獨立活動；也就是說，沒有腦的命令，神經球也可以自己發令，使翅膀或腿腳等部位繼續活動。

交配還未結束，雄螳螂的頭卻沒有了，沒關係，牠還是能夠好好的騎在母的背上，繼續交配的動作。牠是怎樣做到的呢？這是因為胸節的神經球可以獨立支配六隻腳好好站住，而尾節的神經球在沒受到腦神經的指示下，也能支配公蟲的尾節器官繼續動來動去，不致於停止。

至於雌螳螂為什麼要咬掉雄螳螂的頭？有一位專家這樣報

●正在交配中的螳螂，上方雄螳螂的頭不見了。（George L. Heath ／提供）

告：雌螳螂擔心雄螳螂的腦神經作怪，會亂發指令給尾節神經球，使尾節的交配動作停下來，雌螳螂就得不到百分之百的滿足了。所以咬掉牠的頭後，雌螳螂就可以預先阻止不測的問題發生。

啊，好高明的學說！而且這是在科學雜誌登載的。但是我不能相信這樣的學說。這專家怎樣能看透母螳螂的心？依我看，這只是「擬人法」的說法而已。常常有專家們批判擬人法，認為是非科學的，但是其實有些專家有時也同樣用擬人法來說明某些事實。

六十多年前，我剛進入農試所上班時，已經知道螳螂交配的習性，所以當我找到一隻雌螳螂時，就想要看看牠是不是

真的會吃掉雄蟲的頭。

有一天，真的找到一隻雄螳螂了，我馬上把牠放在雌螳螂前面。雄蟲很粗野，一下子就跳上去開始交配。不久，雌螳螂一回頭，雄蟲頭就不見了！而雌螳螂繼續吃牠的身體，一直吃到只剩下六隻腳。

另外一次，是在拍昆蟲電影時看到的情景：雌雄螳螂一相遇，立刻交配，同樣也是很沒有「禮貌」。但是在交配的過程中，雌螳螂卻很溫順文雅，並沒有什麼粗野的動作。可惜我沒有時間看到交配結束，所以不能確定事後雄螳螂是否還能安然活著。

以平常心來看，我認為一般螳螂好像是永遠吃不飽似的。當雄螳螂在雌的背上時，可能有些雌螳螂不太清楚雄蟲到底在做什麼？可是看起來倒像是很好吃的樣子，那麼，何不飽餐一頓呢？就這樣，雄螳螂一命嗚呼了。

我這樣子描述，大概有人會批評說：「你也是用『擬人法』來說明的。」沒錯，不過如果要認真討論的話，哪裡真的會有「擬人法」的問題呢？我認為有些動物的行為，「實質上」是和人類的行為一樣的。我們會對「擬人法」有所批評，這其實只是人類自我誇耀的一種表現罷了。

當然，人類有很了不起的特質──「心靈」，可以勝過「本能」之力，所以人類會自稱是「萬物之靈」。但是，我認為有一項致命的弱點，卻會導致人類的滅亡，那就是：人類本能中那種「永遠不知足」的無限慾望。

人類還有別的本能，也許你還記得，在序文中，我們曾談過「飛蛾撲火」這句成語，其實正是為人類自己而創造出來的。🦟

第3章

六隻腳的彈性力學家

當影片中出現一隻象鼻蟲正在做「育嬰搖籃」的過程，見到牠在葉片上忙碌的走來走去，專心一意的用六隻腳折彎葉片時，有一個老同學突然大聲叫出來：「這不是蟲，是人嘛！」……

●黑點搖籃蟲站在牠剛完成的葉苞搖籃上。這葉苞很明顯不是單純的捲葉。

搖籃蟲的震撼

會認為「昆蟲也像人」的，並不是只有我一人而已。

民國六十四年（1975）四月，「英國廣播公司」（BBC）派遣了一組攝影小組來台灣拍攝記錄片，報導我拍攝、研究昆蟲行為的工作情景。翌年一月十一日，這部影片以「李博士的昆蟲世界」（The Insect World of Dr. Lee）之名，在英國的電視上播映。這部紀錄片長達五十多分鐘，其中大約有三十分鐘是我所拍攝的昆蟲影片。後來，在一次中學同窗聯誼會中，我曾把這部紀錄片放映給老朋友們觀賞。

●紙鶴

當影片中出現一隻象鼻蟲正在做「育嬰搖籃」的過程，見到牠在葉片上忙碌的走來走去，專心一意的用六隻腳折彎葉片時，有一個老同學突然大聲叫出來：「這不是蟲，是人嘛！」

還有一次，我在美國華盛頓放映我的影片給「史密森尼」（Smithsonian）研究中心的專家們觀看。同樣的，當這幕情景出現時，我聽到放映室中驚歎聲此起彼落，深沉而宏亮。我相信：在這些見多識廣的專家們眼中，如果象鼻蟲僅僅只是小昆蟲，而不是像人的話，這樣的驚歎聲是絕對不會出現的。

我公開放映過我的影片已經無數次了，每次放到這一段，從觀眾席中總會傳出驚呼、嘖歎的反應。這種明顯而強烈的反應，真是不勝枚舉，也每每令我不禁深思。

巧妙的折捲功夫

這裡有一隻紙鶴，是典型的摺紙，你是不是也會摺？假使

你不會，要試試看的話，你必須要別人教你，再多次練習後才做得成。如果你想做出漂亮的作品，不但要一再練習，而且每個步驟都要仔細用心做，才能做得有稜有角，線條與面板分明有力，也才不會很快就鬆垮掉。

可是你知道嗎？有些種類的象鼻蟲被俗稱為「搖籃蟲」，因為牠們天生就會做出精采無比的「摺紙傑作」哩！

也許你會說：「那沒什麼稀奇嘛，昆蟲有『本能』啊，藉由本能的驅使，昆蟲的身體就可以像自動機械一樣的動來動去，『摺紙作品』就自然的被製造出來了。」

可是，昆蟲真的只需靠本能，不用心思，就能夠做出像樣的東西嗎？讓我們來看「搖籃蟲」的表現，就知道有沒有可能了。

●朴樹上的搖籃蟲葉苞

搖籃蟲有一個共通的習性：用單一的葉片，折捲成一個葉苞，並將卵產在裡面。其實，這個葉苞對於卵具有重要的保護作用，等幼蟲孵化出來後，就在葉苞「搖籃」內長大，然後羽化。

　　據我所知，台灣至少有六種搖籃蟲，分布範圍從平地到海拔兩千公尺左右的高山。牠們做葉苞的基本作業流程差不多，有些種類的做法，甚至全部過程幾乎完全一樣。可是也有些種類所做的，在某些階段中會有顯著的差異。現在我們來看一種在台灣很普遍的「黑點搖籃蟲」（中名：黑點捲葉象鼻蟲Paroplapoderus pardaloides）怎樣做「摺紙」。這種分布從平地到海拔大約五百公尺高地的搖籃蟲會在「朴樹」的葉子上造出一個個葉苞。

　　以下，我就只以「搖籃蟲」或「牠」來稱呼這種昆蟲。

　　我們都知道，要做摺紙作品，就不能用太軟的紙（如衛生紙），也不能用太硬的紙（如明信片）。搖籃蟲也知道這個道理：太嫩的葉片過於柔軟，太老的葉片則會太僵硬，都不適合做葉苞。牠在樹上的小枝條間走來走去，尋找適宜的葉子。走過老葉和正在生長的幼葉時，一概不理，看都不看；只有已長成而且年輕的葉子，才會引起牠的注意。

　　每當牠它看上一片葉子時，便開始測試葉片的彈性，看看它是否合用。檢查方法是這樣的：用前腳將葉片往上拉，同時用口器將葉緣往下推，如此便可測得葉片的彈性。通常只須檢查一次，便可確定這片葉子是否合適。如不適用，牠便立即走開。如果葉片看起來合用的話，牠便會再走到葉片上的幾個不同點（通常是一至二點），進一步檢查葉片的彈性

●這隻認真的「黑點搖籃蟲」在同一葉片的三個不同部位，重複葉片彈性檢查多達三次。

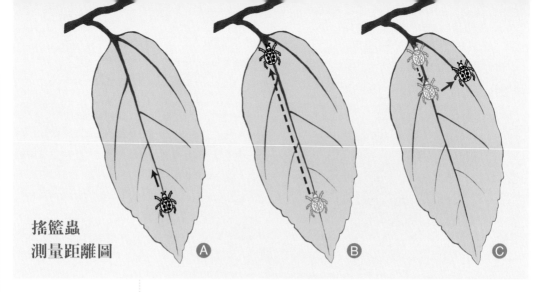

搖籃蟲
測量距離圖

Ⓐ　　　Ⓑ　　　Ⓒ

。在這一點試一試，又去那一點拉一拉，又回第一點彈一彈，再到第二點搖一搖，有時甚至還會到第三點試一試……重複檢查了又檢查。

　　在每一地點重複檢查的次數多寡，會依蟲的個體而異。有些比較「馬馬虎虎」的，只試一兩次就決定下來，接著去做下一階段的工作。（這樣的個體，在過程中將會碰到問題，詳見後面說明。）也有特別認真的，重複檢查次數達三至四次之多。

　　當搖籃蟲做了最後一次的彈性檢查後，就從葉片的先端走到葉片的基部（上圖A），牠總是走得很慢很慢，好像是在計算走了幾步，測量葉片的長度（上圖B）。這個「測距離」的動作很重要，因為當牠走到葉片基部時，就要倒退──並不轉頭，而是如同開車倒退一樣（上圖C）。因為如果是轉回頭，再往前走的話，測的距離就不會準確，最後階段的工作也就做不好了。倒退的距離長短，要看葉片的長度而定。（為什麼有倒退距離的問題？看後面說明就可明白。）

　　現在，後退的距離適當了，牠停下來，然後像螃蟹般地橫

向走，一直走到葉緣（左頁圖C）。

當牠一走到葉緣，立刻在葉片基部一側咬出一個L型的缺口。接著，又到中脈基部咬出一個洞，這樣可以使葉片失去大部分的水分供應，變得比較柔軟，方便接下來要做的折彎葉片的動作。

牠從葉片先端開始折，不停的折了又折，這些動作必須重複許多次。要做成一個葉苞，大約要花兩個多小時，其中有一半時間是在做折彎葉片的工作。

在這段期間，牠也必須去中脈咬洞，以便在捲葉片時，中脈不會有太強的抗力。整支中脈都要咬（大約3mm間隔）。但葉片先端部位以及從L型切口到基部不需要咬，因為前者沒有抗力，後者則捲不到。

然後，牠在與L型切口相對側的第一支脈基部咬洞，以便將來在旋轉葉苞的動作時，支脈不會有太強的彈力，而能順利完成旋轉。

當葉片完全都整理妥當，兩側的葉緣也都折彎到中脈時，就可以開始捲葉苞了。

從葉尖開始，往葉片基部捲上去。開始捲折葉片時，牠知道要捲向L型切口相反的方向。這是非常重要的關鍵，如果捲的方向不對，將來就無法順利旋轉、固定了。

葉尖一捲成葉苞後，牠就咬個洞，把卵產在洞內，再繼續捲葉片。為了防止捲好的葉片反彈回去，通常牠會在剛捲好的部位用腳抓住一段時間，使葉苞定型，以免鬆開、恢復原狀。牠往上捲一段距離，然後移到葉緣，用頭部和前腳把葉苞的邊緣折起來，向內塞進葉苞先端開口，使葉苞平整而密閉。

黑點搖籃蟲
捲葉苞

1 搖籃蟲做好最後一次的彈性檢查，擇定做葉苞的葉片

4 L形切口已完工，正在中脈基部咬洞，使葉片失去水分供應而變軟

5 從葉片先端開始折彎葉片

8 移到葉片近中央部分，進一步折彎葉片

9 在與 L 型切口相對側的第一支脈基部咬洞，以便將來能順利旋轉葉苞

在葉片基部的一側咬出一個 L 型的缺口

3 L 形切口快要完工了

折彎葉片邊緣

7 重複多次折彎葉片的動作

在中脈咬洞，以便捲葉片時不會有太強的抗力

11 繼續折彎葉片

12 在接近葉片中脈部分繼續折彎葉片

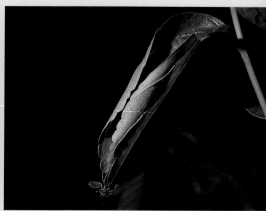

13 可以開始捲葉苞了。牠知道要捲向 L 型切口相反的方向

15 咬洞，準備產卵了

16 正在產卵

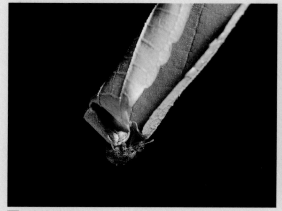

19 再折好葉緣

20 繼續往上捲

開始捲上去

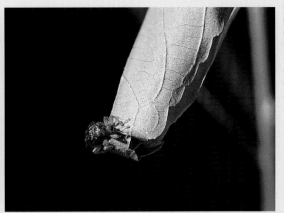

14 葉苞捲到這形狀時，可以準備產卵了

產卵後繼續捲葉片，洞內已有黃色的卵

18 繼續捲葉苞。要在中脈這邊做，葉苞才捲得成

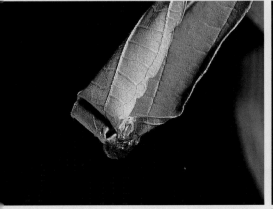

把葉苞的邊緣折起來，塞進開口，使葉苞平整密閉

22 繼續往上捲

23 把葉緣折好

24 繼續往上捲，接近 L 型切口了

25 捲到 L 型切口了，可以開始旋轉葉苞，以便固定

26 正在旋轉葉苞

27 固定住葉苞，大功告成

●將葉苞縱剖後，可清楚
看到當中的卵。

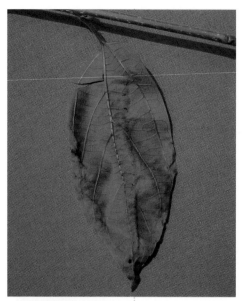

●如果把葉苞解開來看，在葉片先端部位可見到小洞，這是搖籃蟲的產卵孔。中脈上有許多咬得相當整齊的小洞，右側的兩支脈上也有。另外，在右側第一支脈與第二支脈之間的幾個小洞，很可能是在葉苞將要完成，牠用口器咬著葉苞以便旋轉時所造成的。

像這樣，一直往上捲到接近L型切口時，開始旋轉葉苞，以便固定。如果牠先前沒有咬出這個L型切口的話，這時就無法旋轉葉苞了。到了這階段，把葉苞固定住，終於大功告成。

黑點搖籃蟲做葉苞時是不加班的。如果折彎葉片的步驟一直做到天黑還沒有完成，牠就把工作留下，等待隔天再做。這時，牠會先爬到樹頂，把身體垂吊在葉片下，以防被雨水弄濕，就這樣過夜。第二天早上，從樹頂下來，繼續工作。有的會立刻就找得到前日未完成的葉子；有的則比較「傻」，要走來走去，費一點時間才能找到。不同的個體之間，會有相當大的差異。遇到天氣較冷時，牠們也常會停止工作，休息一下，吃一點葉子而後再繼續工作。

馬虎的搖籃蟲

前面我們所看到的，可以說是大部分的黑點搖籃蟲的作業程序。實際上，黑點搖籃蟲做葉苞的過程中，各階段的工作順序不見得完全一樣，做的「認真態度」也會有差異，有的做起來很「認真」，有的則是「馬馬虎虎」。這到底是蟲的心理或是生理問題？我無法斷定。

有一次，有一隻蟲在做葉片彈性檢查時，顯得很馬虎，草草了事；在折彎葉片時也做得不夠，就開始捲葉子了。那時葉子仍然很僵硬，還沒有折到像紙上電影第13圖的彎曲程度，牠卻已開始往上捲。

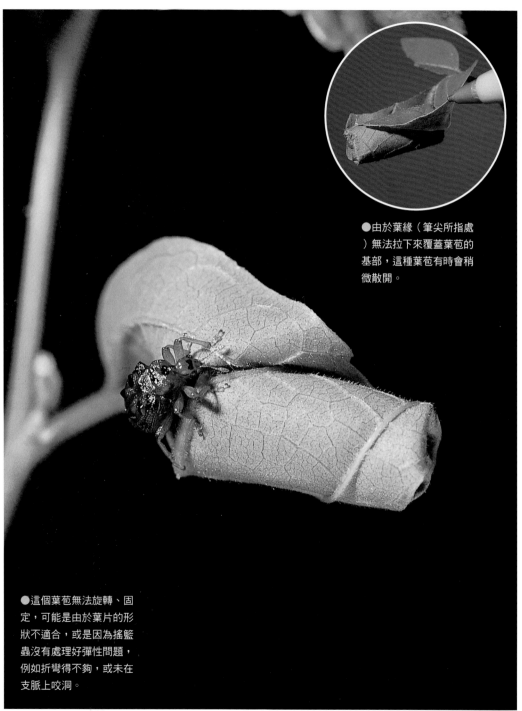

●由於葉緣（筆尖所指處
）無法拉下來覆蓋葉苞的
基部，這種葉苞有時會稍
微散開。

●這個葉苞無法旋轉、固
定，可能是由於葉片的形
狀不適合，或是因為搖籃
蟲沒有處理好彈性問題，
例如折彎得不夠，或未在
支脈上咬洞。

●這隻搖籃蟲雖然在先前沒有處理好葉片的彈性（折彎得不夠充分），但由於牠懂得拉下葉緣，來覆蓋葉苞基部，還是可以固定住而不散開。可見同一種昆蟲中，聰明的程度仍有個別差異。

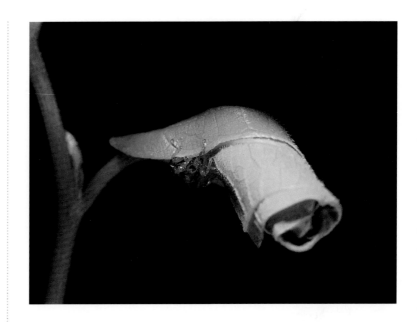

當時我正在拍攝搖籃蟲的工作過程，二兒子當我的攝影助手，一看到這情景，他就對這隻蟲如此調侃著：「我不相信你這樣還能做得成一個像樣的葉苞。」

他是讀物理的，擔任我的攝影助手已經有好多次經驗了，也充分瞭解「完美的葉苞」是怎麼做出來的，所以他很有自信的這樣預先斷言。

可是我心想：「不見得會就會像你說的那樣吧，我不能斷言牠一定會失敗。」我還記得這隻蟲在葉脈上咬洞時很馬虎，好像沒咬出幾個，但是牠的「馬力」很強，後來很快的就把葉子捲上去了。

果然問題來了。當牠捲到最後的階段，正要拉起葉苞旋轉時，由於葉片基部的彈性（或形狀）有問題，牠拉不動，葉片無法形成覆蓋，包住葉苞基部。雖然牠拚命的拉，就是拉不動。

我兒子的臉上露出明顯的表情，讓我知道他腦中正在對著

蟲說：「看吧，我早就告訴你了，你一定做不好的。」

可是他錯了！蟲拉了一陣子之後，發現拉不動葉苞，就移動身軀，跑到葉片下部，用前肢拉下葉緣，來包住葉苞基部，就這樣固定葉苞，完成牠的工作。

「哦！原來你也有這樣的辦法……」我兒子有一點不好意思，一半對著蟲，一半對著自己這樣說。

當時我慶幸先前沒有附議他的看法。但是，現在我應該給他留一點面子，因為有些蟲並不知道另外還可以有這種「拉下葉緣」的辦法，通常牠們做到這個階段就會跑開，留下的葉苞在不久後當然就鬆散、不成形了。

葉片基部包不到葉苞的基部，就無法固定葉苞。主要原因之一，是蟲沒有在葉支脈咬洞，或沒有充分做好折彎葉片的工作（但也有某些葉片第一支脈的位置有問題，先天就不適合折）。

葉苞內的幼蟲如何維生？

幾年前和朋友們到合歡山下，海拔約兩千公尺的瑞岩溪水源地，去拍攝電視節目時，發現有一種全身紅色的搖籃蟲，體型很小，大約只有零點五公分長。我們發現時，牠正在檢查葉片的彈性，不知道先前已經檢查過幾次，只見牠檢查一次，然後直行到葉片基部，從兩邊的葉緣做切口。這切口從葉緣一直深達葉片主脈，幾乎要把葉脈切斷了。

牠折葉片只有兩三次，都是沿著中脈上下折彎，然後就開始捲上去。由於中脈幾乎斷開，有水分流出來，葉片變得特別柔軟，很容易捲起。只花了幾分鐘，葉苞就完成了。之後，牠把葉子的中脈切斷，葉苞便掉落在地上。

1 這隻紅色的小搖籃蟲，已完成葉片的彈性檢查。

2 牠正在葉片基部咬出切口：從葉片兩側切到接近中脈處。

3 中脈被切到幾乎斷掉。切口完成了，馬上沿著中脈折彎葉片。

4 繼續在中脈折彎葉片一兩次後，接下來準備捲葉苞。

5 快要捲到切口部位了。

6 葉苞一完成，咬斷中脈。葉苞掉落地上。

為什麼牠要這麼做呢？落下的葉苞很快就會乾燥，葉苞內的幼蟲就沒得吃了，要如何成長呢？

答案是：大部分搖籃蟲的幼蟲吃得很少很少。如果你切開葉苞，就會看到被吃掉的葉子只佔極小部分。只吃這麼一點點，幼蟲要如何成長？有研究報告說：幼蟲會吃自己的糞便，在體內消化後，會再變成糞便，然後再吃下去……就這樣重複著。

這是有道理的。有些人會為了醫療目的，喝起自身的尿。日本和歐洲都有公立研究所在研究尿的療效，據說尿有抑制癌進一步成長的效果。看來，昆蟲還比人類更早、更懂得排泄物的價值哩。

搖籃蟲為何一再檢查彈性？

有些搖籃蟲在完成 L 型的切口之後，並不做葉片主脈基部的咬洞步驟，而是立刻直接走到葉尖，開始折彎葉緣。在進行折彎的過程中，也許牠能夠察覺葉片太硬了，才暫停這步驟，走到葉片主脈基部咬洞，然後再回去繼續折彎葉片。有些蟲甚至會回中脈基部咬兩次：先咬一次後，回去折彎葉片；再做一段時間後，又再回去咬洞。我相信牠們能感覺到葉片太硬，並且知道必須在中脈基部咬洞，減少葉片中流動的水分，好讓葉片比較萎軟。

我們回頭看看搖籃蟲如何選擇適當的葉片。當牠檢查葉片彈性時，大部分在起步的一個地點只做一次或兩次的檢測，就能知道葉片能不能用。遇到不能用的，就立刻掉頭走開，毫不遲疑。而檢查之後，認為可以用，還會再多次檢查；通

常會在葉緣兩個以上不同點，做好幾次類似的檢查。

　　為什麼當牠知道可以使用之後，還要一再的檢查？以人類的觀點來看，這種額外的檢查是無意義的。可是搖籃蟲為什麼要這樣做？我想得到的唯一理由是：「牠要確定是否真的有用。」

　　如果是人類，在反覆的檢查以確定是否可用的過程中，可能就會發現「不合用」而放棄。可是在我觀察過的二十多個案例中，從來沒有在這種額外的檢查過程中，發現「不合用」而走開的。那麼，在這種情形下，牠們還要檢查了又檢查

●搖籃蟲在中脈基部咬洞，仔細看第一支脈上已經咬了兩個洞。

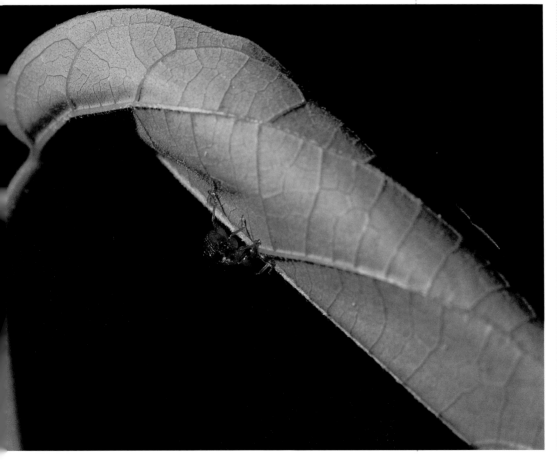

●這是「長頸搖籃蟲」（中名：棕長頸捲葉象鼻蟲 *Paratrachelophrous nodicornis*）的傑作。如果你見到葉苞，帶回家後，放在杯子裡面，倒入一點水，放置一兩個星期，大部分的搖籃蟲成蟲就會羽化爬出來了。只有雌蟲才會編造葉苞搖籃，當然，羽化出來的不一定是雌蟲。

，豈不是浪費時間和體力嗎？有任何動物會做一些完全沒有意義的動作而浪費體力嗎？大概不會吧。可是，搖籃蟲為什麼會一再的檢查呢？

不依照「對比」的思考

我的推測是這樣的：人類如果會想要一再的檢查，可能是在思考「這葉片是不是真的有用？」換言之，人的思考是「對比性」的，是要做比較的。而搖籃蟲，我相信牠們沒有對比的觀念，不做比較。牠們「知道」這葉片可用，但還會一再檢查，只是要確定真正可用。牠們的想法有點像是走單行道，一直往前，不會回頭。而人類的思考則常常是左顧右盼，無法下定決心。

人類的思考模式和搖籃蟲不同，是什麼原因呢？我的分析是：人類習慣用語文做為思考的工具。可是有時要思考某事

●從上圖葉苞中羽化出來的長頸搖籃蟲（雄蟲）

時，特別是抽象的事情，如果沒有「對比」是無法進行的。

舉例來說，如果要思考「這是不是好的？」，就需要先有一個叫做「不好」的觀念來對照，藉由「好」與「不好」兩種對比而自然產生的「力」，來帶動人類的思考。一旦沒有了這種帶動的「力」，人類就無法思考了。這和人類無法在水面上行走是一樣的道理。人的腳施力於水面上，水不會施反作用力於人的腳，所以沒辦法前進。

唯有當「作用力」與「反作用力」互相發生作用時，才能產生有效的力。能使人思考的，也是有效的力。當人努力思考時，一想到「好」，他必須同時想到「不好」。可是，「不好」是什麼？其實只是自己認定的而已，別人可能會說：「沒什麼不好啊。」甚至於有人會說：「一點也沒有不好。」所以當有人想到「好」與「不好」時，「不好」有各種不同的程度的差別，以致於產生各種不同程度的對比，這樣也就產生不同程度的有效力，進而使人有不同的想法。

有人說：「越想越糊塗」。不同程度的「糊塗」，又可比擬成行走的模式——在堅硬地面上行走時，沒有問題；但在沙漠上行走，就有各種不同程度的困難。因為沙層的深度不同，行走的困難度也就不一樣。如果陷入流沙中，腳得不到反作用力，根本就行不得。所以一個人想要探求真理，往往會陷入黑暗中摸索，好像陷入流沙中。蘇格拉底說：「我並不知道什麼。我只知道一件事，那就是我什麼都不知道。」當人想得越深，就會沉得越深，以致於迷惘。

讓我們回到搖籃蟲的行為吧。牠們沒有可用於思考的語文，所以不會像人類一樣「越想越糊塗」。我相信當牠們一再

檢查葉片的彈性時，只會想到「這葉片適合」，而牠們在第一次檢查時就已知道了。牠們一直往前思考，不會轉回來想反面：「這葉子可能不適合。」而牠們一再檢查，也只是為了要確定葉子「適合」。

牠們只做正面的思考，不考慮負面，也就不會有「搞混了、搞糊塗了」等等的問題，所以思考不會受到干擾。

「對比」的多樣性，使人類的思考過程產生很多變化，另外還有一件重要的問題會困擾著人類的思考：人的思考所用的對比，可能本身就有錯誤，甚至是根本不存在。

舉例來說：「有」與「無」成為對比，使事物明確，非常有益於思考；但在很多情況下，我們不知道什麼才是真正的「無」。有人會說，真空狀態就是「無」。但是物理學家很早就證明真空中也還有很多基本微粒子。在科學之外的現實生活裡，我們可以說某人口袋裡「沒有」鈔票，但不能就因而說他「一文不名」。有很多情況，「無」是很難證明的。所以，當你用「有」和「無」所做的對比，有可能是不確定的，或者可能是錯誤的，甚至於根本不存在。「無」的觀念是很難掌握住的，很少人能真正瞭解到「無」。當你瞭解到「無」，其實就已經不再是「無」，而是「有」了。

我們來想想老子說過的話：「無就是有」。通常人們認為一個碗內的空間，就是「無」，空氣與基本粒子是看不見的。可是老子說：「沒有了那空間，碗就不是碗了。」也就是說，裡面的空間就是「有」，而不是「無」。像這樣，如果沒有對比的觀念，人類註定無法思考。而對比也有變數，也有真假，甚至於實際上不存在。

［李淳陽昆蟲記］

用這樣子的對比，我們要如何思考正確呢？我會建議：「不要製造對比，直直往前思考就行了，就像搖籃蟲一樣。」

有一個夜晚，我和一位朋友在海邊垂釣。他看到天空布滿了星星，說：「我常常會思考宇宙的極限，遠在那些星星之外的一望無垠⋯⋯可是我一想要體會那種世界，就只感到暈眩，無法再繼續想下去，甚至於頭都快要爆裂開來了。」

我的回應是像這樣的：「你可以想想那些星星存在的太空，想想星星與地球相互之間所形成的對比，就會產生一種驅動力，可以驅動你的思考。而在星星之外的一望無垠的境界裡，你能想到的，有什麼東西？你無法想像到任何可能的天體，或任何可見的物體在那裡，所以你無法製造對比來驅動你的思考。也許你會想要不藉助驅動力就能思考，但到那時，不發瘋就已算幸運了。」

我繼續灌輸我的想法給他，說：「要體會、察覺『無限』，不見得是不可能的。只要不停的去想，去想；在你的心中說『無限、無限、無限』⋯⋯摒除其他所有的念頭，你就能體會到無限是什麼樣子了。」

我不曉得他有沒有把我的觀念聽進去。他一語不發，因為他很有自尊。當時如果他還要發表意見，我就會告訴他搖籃蟲是如何一再檢查葉子的彈性——牠只想到一件事：「這葉子可以用，這葉子可以用⋯⋯。」在牠們進一步檢查葉子的彈性中，一點都沒有「這葉子不能用」的想法，因為早在第一次檢查就已知道了。搖籃蟲「如同在單行道行駛一樣」的思考方式，不會出現「正面相撞」的問題，所以在思索的過程中，就不至於產生「會短路，會燒斷腦筋而發瘋」的憂慮了。

第4章

高明的狩獵者

「捲葉蟲安全的躲在葉苞中，這葉苞很牢固。蜂被擋在外面，所以就用機智取勝——牠在葉子兩端衝來衝去，來回的恐嚇捲葉蟲，嚇得牠不得不逃來逃去。可憐的捲葉蟲已經頭昏腦脹了。突然，猛襲降臨了！……」

●黃面蜂正在葉叢間尋找捲葉蟲

狩獵蜂與捲葉蟲

在我對於昆蟲數十年的觀察、研究生涯中，狩獵蜂是最具啟發性的對象。我第一次偶然碰見狩獵蜂時，牠正在獵捕躲在裂瓣朱槿（俗稱燈籠花）葉苞中的捲葉蛾幼蟲。這種中名為黃面泥壺蜂（*Anterhynchium flavomarginatum*）的狩獵蜂，由於臉部黃黃的，所以在本書中以「黃面蜂」或「蜂」來稱呼。

當時，捲葉蛾的幼蟲（以下簡稱「捲葉蟲」或「蟲」）躲在自己捲的葉苞裡面，黃面蜂則在葉苞上跑來跑去，從一端跑到另一端，兩三次後，就在葉苞的先端開口處捉到獵物，立刻帶著牠飛走了。

這場狩獵的經過，從開始到結束，看不出蜂的動作有什麼特別之處，在我看來，牠的一切行動好像都是照著本能在進行而已。可是，後來我又看過三、四次，發現黃面蜂的動作

●捲葉蟲以裂瓣朱槿葉片所做成的葉苞

其實每次都不太一樣。這就引發我的好奇心來了。

有一次，蜂在葉苞上，從一端跑到另一端時，突然在葉苞的底部開了一個洞，就從那裡拉出捲葉蟲，抓著飛走了。

另外一次，我看到的是：當蜂在葉苞上跑來跑去時，捲葉蟲忽然從葉苞先端開口處跳出去。當蜂看到蟲跳下去時，立刻也追下去，很快的抓住獵物了。這種情況是意外的事件嗎？或者是蟲意識到黃面蜂正在葉苞外面砰砰作響，使牠警覺到自身危險，決定不顧一切的逃走，所以才奮不顧身的跳出去？關於這一點，我當然是無從得知的。

還有一次，我看到捲葉蟲所處的情況和上述很類似，但當牠跳下去後，蜂卻沒追下去。是不是蜂知道下面雜草茂密，看不見掉下去的蟲，追也沒有用，所以乾脆節省體力？很可能是這樣的。

無論如何，我從黃面蜂捕捉獵物的過程中，確實感受到有點戲劇性。

●打開葉苞，可以看到裡面的捲葉蟲。

當時我在農試所的工作，主要是研究殺蟲劑的作用模式。對於黃面蜂的行為，沒有時間去做研究，也沒有特別感興趣。但是，世事多變，在我服務公職的後期，大約從民國五十七年起，我開始著手拍攝一部昆蟲影片。在籌劃要用哪些種類的昆蟲做為影片中的主角時，我立刻回想起黃面蜂捕捉獵物的情景，所以就決定要拍下追逐、獵捕的整個過程。

在五十九年初夏的一個早晨，我在住處庭院內的裂瓣朱槿樹上，發現了一個葉苞，並且確定裡面正躲著一隻捲葉蟲，於是就把我的十六釐米攝影機架在三角架上，對準它。我準備要花一個早上的時間，甚至於一整天來等待。

沒想到運氣很好，只等一、兩小時之後，黃面蜂就出現了
——牠在四、五公尺之外發現了葉苞，就朝它直飛過來，停
在葉苞的頂端，開始進行這場精采的狩獵過程。我在拍攝此
段影片後，也試著度量黃面蜂捕捉捲葉蟲各個動作的速度變
化情形，並以模式插圖的方式來探討每個關鍵步驟中，蜂的
動作可能含有的意義。

　　這整段獵捕的場面，全長二十三秒。在過程中，黃面蜂轉
身的速度有時較快，這正暗示著牠的心理變化：「我要加快
速度才行！好，追快一點！」。而在最後的獵捕行動中，可
見到蜂突然靜止不動，竟然長達五點八秒之久。這跟先前那
種急遽、緊追不捨的動作互相對照，正顯示出牠對於自己在
做的事情很可能是有「意識」的，而並非僅僅是「本能的反
應」而已。

蜂也會鬥智嗎？

　　前面我們所見到的「黃面蜂獵取捲葉蟲」的片段，當然也
出現在英國廣播公司所拍攝的「李博士的昆蟲世界」這部紀
錄片裡——旁白是根據我所寫的解說，而由英國著名的科學
作家Anthony Smith加以改寫而成。我用將近半頁的篇幅來
描述，但是Smith卻只用短短幾行散文詩體的文字，就清楚
道盡黃面蜂以智取勝的精采過程。

　　這段簡潔優美的旁白，譯成中文大致是：「捲葉蟲安全的
躲在葉苞中，這葉苞很牢固。蜂被擋在外面，所以就用機智
取勝——牠在葉子兩端衝來衝去，來回的恐嚇捲葉蟲，嚇得
牠不得不逃來逃去。可憐的捲葉蟲已經頭昏腦脹了。突然，
猛襲降臨了！……」

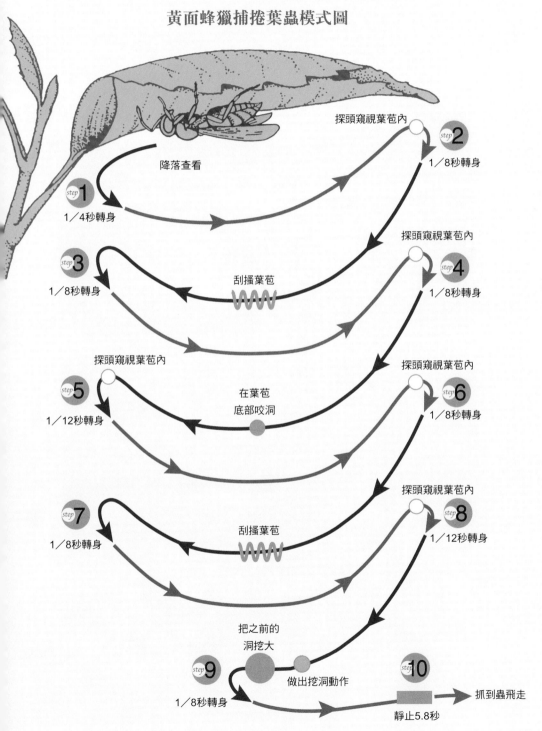

黃面蜂獵捕捲葉蟲模式圖

探頭窺視葉苞內

step 2
1／8秒轉身

降落查看

step 1
1／4秒轉身

step 3
1／8秒轉身

刮搔葉苞

探頭窺視葉苞內

step 4
1／8秒轉身

探頭窺視葉苞內

step 5
1／12秒轉身

在葉苞
底部咬洞

探頭窺視葉苞內

step 6
1／8秒轉身

step 7
1／8秒轉身

刮搔葉苞

探頭窺視葉苞內

step 8
1／12秒轉身

把之前的
洞挖大

step 9
1／8秒轉身

做出挖洞動作

step 10

靜止5.8秒

抓到蟲飛走

step 1　蜂在遠處發現有葉苞，直直飛過來，一降落在葉苞上後，立刻移到底部，用觸鬚碰一碰，查看裡面有沒有捲葉蟲。而捲葉蟲也可能知道大敵來臨，逃向葉苞的先端處。這時，蜂以1/4秒的速度轉身，追過去。

step 2　蜂追到葉苞先端處，探頭窺視葉苞內，使蟲害怕。蟲受到驚嚇而逃向葉苞基部。蜂立刻以1/8秒速度轉身，追！

step 3　蜂追向葉苞基部途中，用口器刮搔葉苞來驚嚇蟲。接近基部時，蜂可能知道蟲又已經逃向葉苞先端，所以又以1/8秒速度轉身，追過去。

step 4　蜂追到葉苞先端，又探頭窺視，使蟲知道「死神緊追不捨」！這時蟲可能轉身逃向葉苞基部，因此蜂以1/8秒速度轉身，追！

step 5　蜂追到半途，在葉苞底部咬出一個洞，更加地驚嚇蟲，也可能是為了使蟲逃亡的空間變得更狹窄。當蜂追到葉苞基部後，再往內窺視一下，可能見到蟲已逃向葉苞先端，因此牠以最快速度的1/12秒轉身，緊追過去！

step 6 　蜂追到葉苞先端，再窺視一下，接著又以1/8秒速度轉身，追！

step 7 　蜂在追向葉苞基部途中，再度刮搔葉苞來驚嚇蟲。接近基部時，以1/8秒速度轉身，追！

step 8 　蜂在葉苞先端窺視一下，又加快速度，以最快速度的1/12秒轉身，緊追過去！

step 9 　追到半途，蜂做出挖洞的動作（但不清楚是否真的挖洞），然後向前一步，把先前所挖的洞擴大。接著，以1/8秒速度轉身，繼續追。這次牠放慢速度走，不再是緊追了，可能是因為牠很清楚：由於自己剛剛做過的那些動作，接下來會造成什麼事情即將發生。

step 10 　蜂到葉苞先端後，不再窺視內部，只是把頭部朝向葉苞開口處，靜止不動，長達五點八秒鐘。而蟲可能已被追逐得頭昏、慌亂，竟然將頭露出葉苞外──蜂立刻跳上前去抓住、拉出蟲來，打一針麻醉針，帶著飛走了。

這段描述的場面，我們在前面已清楚看過了。Smith的看法是：黃面蜂懂得「鬥智」而不強攻。這種觀念，可能會有科學家反駁說：「黃面蜂的動作只是本能，並不是智能。」

　　我以前常常聽到這種「百分之百的本能」的說法，現在已倦於再評論這種「本能說」，只好這樣回答：「好吧，就算通通都是由本能驅使的，可是本能裡面也會有智能吧。」

　　我相信這種智能是活的，而不是固定形式、死板板的。

　　我所觀察的狩獵蜂，除了黃面蜂外，還有另一種臉部帶一點紅的，在本書中我稱其為「赤面蜂」，牠的中名是棕泥壺蜂（*Rhynchium quinquecinctum brunneum*）。

　　赤面蜂獵取捲葉蟲的方法可能和黃面蜂相同，但是有一次，我所看到的過程，卻是這樣的——

　　蜂飛到葉苞上，馬上跑到葉苞基部開口處，探頭窺看內部

●這隻正在樹葉上喝水的就是赤面蜂

，然後急速跑到葉苞先端開口處，又窺探內部。一會兒之後，牠到葉苞中間側面部位，搔抓葉苞的表面，一秒鐘之後，又衝到先端開口處窺視。接下來，又是跑到同一處搔抓葉面。沒幾秒之後，捲葉蟲從葉苞先端開口處突然往下跳，而蜂就以閃電般的速度飛下去，在空中抓住牠，飛走了。

好快的動作！我認為如果蜂沒有在思考自己做了什麼事，也沒有預想捲葉蟲可能會如何回應的話，那麼，牠的動作就絕對不會這麼快速。換句話說，蜂在做這個「搔抓葉苞側面」的行動時，牠自己應該是有意識的，牠會思考：「我現在正在做什麼，而捲葉蟲將會怎樣反應我的動作……。」

再說一次，如果牠沒有這樣的意識，那麼，像前述那樣在空中快速捉住捲葉蟲的動作，是不太可能做得到的。

現在，我們再回想前面的模式繪圖中最後一段，在急迫、緊張的追逐之後，黃面蜂突然在葉苞先端開口處靜止等待的那一段，足足有五點八秒之久。這完全靜止不動的五點八秒，與牠在前段行為中那種急速、劇烈的動作相較，實在很耐人尋味。我相信蜂此時必定知道：躲在葉苞裡面的蟲被追來追去後，嚇得要命，已經不知如何是好了，很可能會妄動。果如蜂所料，蟲忍不住探出頭來，於是，蜂立刻給牠致命的一擊。

容我再重複說一次：我相信在那關鍵時刻，黃面蜂清楚明白牠本身已經做過什麼，也預料得到接下來的結果將會是怎樣了。

關於這一點，後面還會有進一步說明。🐝

第 **5** 章

狩獵蜂的築巢研究

一隻黃面蜂帶著牠的獵物，飛進竹掃帚的把手裡。等到牠開始用泥土封閉竹管口，飛走之後，我把竹把手剖開──從裡面掉出一大堆捲葉蟲……

●黃面蜂正將竹管封口。有的是把泥土磨平後就離去，有的則還會再橫放幾條泥土。

〔李淳陽昆蟲記〕

撿現成住家者

　　黃面蜂在什麼地方，用什麼方法築巢呢？我也是偶然發現的。

　　有一次，我看到一隻黃面蜂帶著牠的獵物，飛進竹掃帚的把手裡。等到牠開始用泥土封閉竹管口，飛走之後，我把竹把手剖開——從裡面掉出一大堆捲葉蟲。

　　原來這根竹掃帚的竹管中，就是黃面蜂所築的巢。裡面有許多小小的「育嬰室」，我看不清楚它們的排列情形，因為在剖開竹管時，用力過大，已經弄亂了。可是沒關係，我已經發現黃面蜂築巢處，可以開始來研究牠們的築巢行為了。

　　牠們是典型的「撿現成住家者」：通常會選擇現成的空洞穴或是小孔中築巢，例如枯樹幹內的天牛舊巢、木頭縫等等。但牠們只選擇不會被雨水淋到的空洞，因為牠們用來封閉洞口的材料是泥土，並不防水。在挑選地點時，通常牠們會先往暗處飛，意圖找到一些洞穴，甚至連牆上的黑點也不放

●做狩獵蜂研究所用的竹管架

［李淳陽昆蟲記］

過，總是要詳細檢查一番。

我所做的研究方式是這樣的：先把長竹管鋸成一段段，長約一公尺，每一根最上端的竹節鋸掉，然後一根根直立在屋簷下。

當黃面蜂飛來時，有時會接近竹管，但只看了一眼後便飛走了。有時會在竹管上停下來，但也僅僅逗留一下，根本懶得飛進去裡面檢查，便又飛走了。

起初，我懷疑是不是竹管的排列看起來不太自然？或是會不會因為新砍下來的竹管會有特別的味道，使牠們退卻？但是當我發覺由同一根砍下的兩根短竹管，一根會被黃面蜂接受，而另一則被漠視時，我知道我的想法可能錯了。

無論如何，當一隻黃面蜂爬進竹管裡時，便帶給我一線希望；而當牠們從管中出來時，可能就會放棄這根，永不回頭的飛走了。那麼，牠們進入竹管裡面後，究竟檢查些什麼來作為「確定是否要當做築巢地點」的依據呢？牠們是查看是否乾淨嗎？

又錯了！我發現有許多乾乾淨淨的竹管，牠們卻不選用，有時反而選上亂七八糟、髒兮兮的竹管。當牠們選定不太乾淨的竹管時，如果沒有太多髒東西，牠們會先做掃除，但是如果髒東西真的很多，牠們就會先鋪上一層泥巴，把髒東西全覆蓋起來。有的甚至會使用其他黃面蜂用過的竹管，不在乎裡面已堆滿泥粒與垃圾了。不過這種例子很少見。

只要見到黃面蜂從竹管出來後，開始檢查管口，並且會到竹節外部檢查一番，然後再度爬進竹管內的話，幾乎可確定牠們已選定這裡要做巢。當牠再進去時，就是要產卵了。不過，不見得一定為了產卵才會再度進去裡面，有的蜂在裡面

●赤面蜂的巢。可看出這隻蜂在竹節上方先鋪一層泥巴，遮蓋底下的髒物，然後再貯存獵物。但牠只做一個育嬰室就封口了。

●黃面蜂的育嬰室,上方
是懸吊著的卵,下方是貯
存的捲葉蟲。

●黃面蜂找捲葉蟲

停留一下子就跑出來,不聲不響的飛走了。到底是什麼原因呢?我無從瞭解。

育嬰室的準備

黃面蜂的卵是用一條很短很細的絲,懸掛在竹管內側壁上,這真是既安全又聰明的設計!因為在這個育嬰室中,牠將會去捉一些捲葉蟲來存放,給牠將要孵化的寶寶當作食物。這些蟲都經牠打過「麻醉針」,有些雖然不能走路,但還是會動來動去,互相推擠著,有可能會傷到黃面蜂的卵。所以先把卵懸掛在壁上,以防萬一。

黃面蜂產卵時,身體仰臥在地板上,高舉著腹部。卵並不是一下子就產下來,而是當卵排出來一部分時,牠會穩穩地

持著，等到絲線完全乾了，並且牢牢的黏在管壁時，牠才會放開卵，然後站起來。

　　產卵後，黃面蜂立刻進行狩獵行為。在離開巢之前，有些黃面蜂會先在竹管前巡禮一番，認清地形。有時這階段的行為，會在牠剛開始選擇巢穴時已經完成了。黃面蜂認清地形或竹管巢的行為，值得特別強調——在一瞥之後，牠們就能把地形或竹管的外觀圖像，清清楚楚的印在腦海中。

　　有研究報告指出：黑猩猩在辨識某種記號或圖案時，也有類似的表現。萬物之靈的人類要花二到三秒才能記憶的記號、圖案或場面，黑猩猩只需半秒即可。這種不依靠「對比」，就能辨識的能力，我相信黃面蜂也有，因為每次黃面蜂出去抓蟲回來，都會直直的飛往巢穴所在的位置，沒有一絲猶豫或懷疑的樣子。

　　這種黃面蜂專門捕捉捲葉蟲，我曾在牠們的育嬰室中檢查過上千隻獵物，發現沒有一隻不是捲葉蟲。我們在前一章中

●黃面蜂的卵，用細絲懸掛在竹管內壁。

，已觀察到在葉苞中的蟲如何被黃面蜂嚇出來並抓走的過程。當然，並不是所有捲葉蟲都做同樣的葉苞，也有別種的會用兩、三張小葉片，做一個密封型的葉苞，然後住在裡頭。但是這樣做，也還是沒辦法躲過黃面蜂的攻擊。

我們已經知道當黃面蜂停在葉苞上時，不需要看到捲葉蟲，便可由裡面的移動狀況，判斷牠們所在的位置。有時黃面蜂所停下的葉苞是空的，但牠馬上又會飛開，因為知道裡面沒有蟲了。當牠們停在有捲葉蟲的葉苞上時，會很快的在葉苞上面咬一、兩個洞，並不是用來捉迷藏，而是要使蟲在葉苞內無法再隱密躲藏。當蟲在驚慌或混亂中蹦跳時，便會很快的被黃面蜂抓走了。

有時蟲會跳離葉苞，這時牠的命運就取決於地面的環境如何，如同我們在前面已經看過的：當地面是光光的，可以看得見蟲時，蜂就可能會追下去抓住牠。但是如果掉到濃密的草堆中，蟲就能保住一條性命，因為蜂不追了。

當蟲被拖出葉苞時，通常會馬上被打上麻醉針，帶回巢裡。黃面蜂爬進竹管，把蟲放在育嬰室內。數目增加時，牠會整齊的排列著。

不過，有時蟲被打過針後，又會被當場丟棄，也許是蜂知道：在剛剛慌亂而激烈的追逐、捕獵的過程中，蟲可能已被咬傷了。而蟲被帶回去後，在育嬰室中還需要保存好幾天，一旦受過傷，很快會死亡而且腐爛，不能作為食物，因此蜂就捨棄牠了。

不少種類的狩獵蜂有一種共同的習性，英文稱為 "homing"：牠們在外面捕獵時，會忽然轉而飛回巢裡探視一番。

黃面蜂也不例外。牠們常會在狩獵進行中，突然心血來潮，抽空回家檢查一下巢。當牠檢查時，巢中任何些微的變化都逃不過牠的耳目。

牠正忙於捕獵時，到底巢中會有什麼事使牠如此掛念呢？而一旦發現巢裡不對勁時，牠又有何種反應呢？我們馬上就會知道了。

童年時代，我也有這種"homing"的習慣。在外面和同伴們明明玩得很開心，突然會想起母親，擔心她在家裡是不是安好無事？於是我就會立刻跑回家，一進門就大聲喊：「阿母！阿母！」

●突然回巢檢查的黃面蜂。竹管下方正有一隻小青蜂在守候著。

只要見到母親，就又馬上跑回去跟同伴玩；如果她沒有馬上回應，我就會憂心忡忡的，不停的喊著「阿母！阿母！」著急的跑到一間又一間房間去找。

　　這已經是七十多年前的事了。幾年前，我曾回故鄉探視當時已九十一高齡的大姐，她還清楚記得我小時候的"homing"情形，說：「你的臉色發青，眼睛瞪得很大，眼神慌亂，半哭半叫的一直喊阿母！阿母！……真是好笑啊。」

　　大姐覺得那是由於我神經太過敏感的關係，可是我不認為如此。我的母親一直有偏頭痛的毛病，發作時，常會嘔吐。當時沒有特效藥，她只能用布條綁緊頭部，並且用手指緊緊按捏兩眼間的鼻樑部位，試著減輕痛苦。我從小常常看到她這種痛苦、煎熬的慘狀，覺得很難過，不免會擔心她會不會因而死去。如果不是母親有這種宿疾，我可能就不會有這種"homing"的習慣。當我的"homing"在衝擊時，我相信那就是因為下意識在擔心母親的安危。

　　那麼，黃面蜂是不是也有這種下意識的憂慮呢？事實上，當牠們帶著獵物回到巢穴時，常常會碰到各種敵人，像是螞蟻、寄生蜂、寄生蠅等，來破壞牠們的巢，或搬走巢中的卵。所以，牠們的"homing"，是不是就像我的一樣，應該是屬於有意識的行為呢？也許有人會稱這種動作為「意識下的行為」。可是我要說：「意識下」和「意識上」實際上本質是相同的，只是在強度上的差異而已。

　　有些黃面蜂完全不做"homing"的行為，牠們是不是不知道做"homing"的意義？或是因為太懶？或者是過度認真狩獵呢？恐怕只有牠們才知道了。

●黃面蜂正在喝枯葉上積存的雨水

●喝過水的黃面蜂,正在咬土,同時吐出肚子裡的水來混成泥丸。

●黃面蜂帶著泥丸回巢

以泥隔間

　　黃面蜂在「育嬰室」中貯存足夠的捲葉蟲後，就會開始用泥土把這一室封起來。不管竹管是直立的或水平放置，牠們的育嬰室都從管內的竹節處開始做起，一室室往上做。

　　要封室時，首先牠會把自己的肚子裝滿了水，然後飛到有土的地方去咬土。在我研究過的例子中，牠們有時會飛到籬笆上，那裡有白蟻廢棄的巢。在這被遺棄的土堆上，牠用上顎咬取小土塊，同時吐出肚子裡的水，把土塊潤濕、混成泥丸後，帶回巢中。但有的蜂會等到回到巢中後才吐出水做泥丸。

　　泥丸首先黏在竹管內壁上，然後用口器及前腳，把泥丸沿著管壁向管中心鋪平。牠藉著後腳向上高舉，撐住管壁，與正常姿勢的中腳形成X字型，四隻腳恰似車輪的輪輻一般。這種姿勢，可以讓牠在竹管中移動自如。

　　要做成這樣的一層封室的泥版，需要許多土才夠。而喝一次水，只可以濕潤兩個土丸，所以牠必須一次次的去喝水、咬土、敷泥……。做好的這層泥板，就成為第一個育嬰室的天花板；它也可能同時是第二室的地板。但有時蜂可能會隔一段距離後，才再往上繼續造出一層泥板，作為下一個育嬰室的地板，而空出的那段竹管，並沒有做任何使用。在一根竹管內，可以蓋出幾個育嬰室？通常是四、五個，但要依竹管長度與其他因素而定。我見過最多的，是七個。

　　最後，竹管入口再用許多層泥土封住。標準的封口方式，是在最後一層泥層上，不規則的放置幾條泥條，這可能是一種掩飾、偽裝，或特別補強入口處。

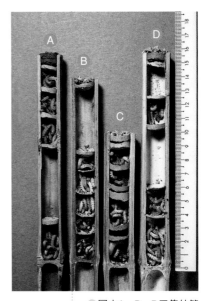

●圖中A、B、D三隻竹管都有一段空間，蜂沒有造育嬰室，牠們為何沒有充分使用所有空間呢？因為如果竹節到竹管口的長度過長，都做滿育嬰室的話，工作的時間會相對加長，以致於下方的蟲先羽化要出去時，上面的幼蟲還在生長中，育嬰室就會被要出去的成蟲所破壞。

每完成一根竹管，黃面蜂會立即飛向另一根，繼續築巢。牠們根本沒有休息的時間，會一直工作到精疲力竭，自然死亡為止。

有一次，我看到一隻黃面蜂夾帶著獵物回巢。當牠飛到竹管頂端的入口，沒有停好，掉到地上。牠好像很累的模樣，不知是不是年紀大的關係，不過牠卻還是緊緊抓住獵物不放。牠努力要爬上竹管，可是只爬上一點點就又掉下去，卻仍不放棄獵物。牠再度又嘗試要爬上，又掉下去。竹管的外壁滑溜，看來很不容易爬，對年輕的蜂來說沒問題，可是這隻「老蜂」，看起來六隻腳全都衰弱無力了。

我用粗棉線捲繞竹管，捲成螺旋狀，讓牠能夠有地方落腳，也許可以往上爬。牠又試試看，這回，終於爬上去了，順利的把獵物放進巢內。然後，牠又飛出去，繼續捕獵。

第二天早上，我發現牠躺在竹管邊的地上，已經死去了。

●竹管口有A、B、C三種不同封口方式，中間兩支是相似的。

不同的封口方式

接著，我們來詳細看看黃面蜂如何封閉竹管的入口處。

通常會有三種不同的封口方式（如左頁圖）。為什麼會出現不同的方式呢？有人認為：「同一種昆蟲，做相同的工作時，不同的個體做法會不相同，因為不同的個體有不一樣的『本能』。」我認為這種看法有問題，在第六章中將會有較完整的說明。

同一隻黃面蜂，每次築巢完成後的封口方式，有時像A式，有時卻像B式，這是由於「封口的本能起了變化」嗎？不是。因為本能應該是固定的，怎麼可能會有變化呢？

我的觀察是：黃面蜂築巢的過程中，有時遇到敵人來襲，就會干擾到築巢工作的順利進行；受到干擾的程度，因外敵種類的不同而有差異。如果沒有敵人來騷擾的話，黃面蜂可以安心的築巢，那麼封口時就會像A式。當工作進行中曾受到妨礙的，封口完會像B式。一旦受到嚴重的干擾後，封口就像C式了。

但是我也曾見過下面的事實——有隻蜂做出「破紀錄」的封口泥層。為什麼會出現這種形狀呢？過程是這樣的——

當時我正在拍攝牠的築巢過程，我用一個強烈的聚光燈照射著，並且在牠做巢的竹管後方放置一個新背景板，以便使背景不會太複雜。不僅如此，由於黃面蜂飛回巢時的速度很快，一下子就跑進竹管內，常會使我來不及按快門。所以，我不時的把一片小葉子擺在竹管口，想要稍微阻擋、減緩牠的速度，以便使我有較充裕的時間，來拍攝牠進入竹管時的動作。

我可以想像這些道具和做法，都可能對牠造成了極大的干

在築巢過程中，若受到嚴重干擾，蜂在封口時會特別花時間、費工夫，最後會呈現這種狀況。這是朝外的一面。

這根竹管與上圖是同一根，朝向牆壁的一面。

●受到螞蟻干擾後，赤面蜂竟然在封口時做了五層泥層。

擾。有幾回，黃面蜂開始猜疑了，因此停止捕捉捲葉蟲，打開已經封好的育嬰室，進去下面看看裡頭有沒有不對勁的地方。（這類行為，我在其他的個案也曾觀察到）

就這樣，最後牠所完成的封口泥層，是我的研究過的例子中的最高紀錄。

基本上，赤面蜂與黃面蜂一樣，也把巢築在各種方便利用的空隙，當然包括竹管。築巢的習性可說和黃面蜂完全一樣，封口的方式通常不是A式就是B式。在我所觀察過的二十七根竹管中，有十一根竹管以是以A式完成，十一根是以B式完成，另外有四根未封口——當時，赤面蜂築完最後一室，就飛走了。為什麼會這樣？我也無法理解。

另外還有一根很特別，是在竹管中央封口的，因為這竹管有一道裂縫，從竹管口直達這個位置。

特別有趣的是，我發現有一個封口竟有五層封泥（一般是兩層），上面還有許多泥紋，顯然是受到螞蟻干擾所造成的。我很幸運目睹整個事情發生的過程——

傍晚時分，赤面蜂捉了四隻捲葉蟲，貯放在第四間育嬰室中。這晚，牠與平常習慣不同，沒有在巢中留守。次日清晨，當牠回到巢中時，撞見一群螞蟻正使勁的想抬走育嬰室裡的捲葉蟲。只見赤面蜂猛然把螞蟻一隻隻解決掉，然後爬出竹管，飛走了。

大約二十分鐘後，牠飛回來，進入竹管內，詳細的察看自己的卵是不是受傷了，或被螞蟻偷走了。接著，進行徹底的掃除工作——把原先貯存的殘餘的捲葉蟲一隻隻帶到外面去

，就像飛機投炸彈似的丟掉了。

牠又回到竹管內，把蟲的排泄物清除掉，再察看管壁上的卵。只見牠緊張兮兮的在竹管內轉來轉去。然後出去，在竹管周圍偵察飛行，巡視一番。再飛回來，慢慢的爬進竹管內，中途忽然停止而後退。一會兒再前進，又停止，後退。如此重複幾次。最後，爬到竹管口，擺出全副警戒的姿態。經過大約十四分鐘後，飛走了。

等牠再度回來，進去竹管中後，連續做了好幾次前進、停止又急急後退的動作。然後，飛出去喝水、咬土，開始封口，最後總共花了三個多小時（一般最多不會超過兩小時），鋪上五層泥土，把竹管口嚴密的封住！

因為牠親眼見到螞蟻的侵襲，難怪封口上面會有許多泥紋，跟平常封口時漠不關心的態度相比，真是天差地別了。牠必須要如此嚴謹的工作，來保衛牠的巢。

姑且不論什麼「擬人法」，我只能說：「牠們與人類一樣，也是依照著頭腦裡的想法來工作。」

假使我說：「赤面蜂及黃面蜂能意識到『自己在做些什麼』、『為什麼要這樣做』」，這樣是不是言過其實呢？

不！觀察牠們所表現的行為，確實在許多方面幾乎是與人類一樣的。

這裡還有一個小插曲，有一隻蜂剛築完巢，在做封閉入口最後一段的工作時，我放一些蜂蜜在那封口的泥層上面。我是好意，想給這隻辛勤工作的蜂一點關心，只是「慰勞、請客」的意思而已。

當牠帶著泥丸回來，完全無視於我給牠的美食，只顧著繼

續封口工作，然後又飛出去咬土。不過，再回來時，牠竟然去吃蜂蜜了！我正覺得很好開心，沒想到，牠只吃了一兩口，就把蜂蜜和泥土攪混在一起，用來封口！

「真是浪費蜂蜜了。」我這樣想著。不過，我應該期待牠做出什麼事來呢？

我要說的是：當蜂在工作時，牠的心並不是完全空空的。

最後要指出的事，就是：蜂在竹管中用泥土封口，從周圍一直做到泥層中央，當洞口很小了，只需要再用很少量的泥土就足以完全封閉時，牠從外面咬回來的泥丸，就不再是平常的大小了。

牠平常取用的土塊大小，差不多會是固定的。因為牠每次去喝一次水，存在胃內的水量，剛好可以使兩個土塊潤濕、混成兩個泥丸。而現在中央洞口已經是很小了，不需要像平常一樣取用那麼多的土塊，所以牠這次咬回來的泥丸比平常的小很多，恰恰好足夠封滿這個小洞口而已。

這是牠經過計算好之後的作品。我認為蜂確實能意識到牠正在做什麼，以及為什麼要那樣做。

當外敵來騷擾

如同前述，黃面蜂與赤面蜂進行竹管入口的封閉作業方式相同，而封上的泥層數目則不一定。一般來說是兩層，第一層的做法和育嬰室隔間的做法一樣；但第二層以上就簡單多了：牠們會在第一層上面放上很多泥丸，放滿後，就用口器把泥丸混合、敷平，形成一層泥層。

有一次，在三根緊密鼎立的竹管中，我看到有一隻赤面蜂已經開始在甲管內築巢。那天早上，我發現那根竹管內已貯

●一隻赤面蜂未完成這根竹管封口，就放棄了。在管口泥層上，可見到四顆泥丸。

存了兩隻捲葉蟲。四小時後，當我再來看時，牠已經開始封口了，此時已敷平的泥層上，還放置了四個泥丸。不久，牠又咬了第五個泥丸回來，但這次，牠並不停落在甲管上來完成封口的工作，反而爬進旁邊的乙管內。

我覺得困惑不解，忍不住靠近乙管口去窺視，不料牠也正好咬著泥丸由內往外爬出來！可能是被我這種魯莽的動作嚇到了，牠的泥丸竟掉進竹管裡面去了！

當牠從乙管爬出來後，又飛近甲管，但還是沒有降落，一轉身，竟然飛到空空的丙管，爬了進去。一分鐘後，牠從丙管出來，接著又飛到乙管，進去；數分鐘後才離開乙管，飛走了。過了不久，牠折回甲管時，口裡沒有咬著泥丸；只停留了一下，又飛至乙管。在乙管內停留大約兩分鐘後，就飛走了。過了一會兒，牠咬著泥丸直飛甲管，這次連停都沒停，反而轉身，又迅速的進入乙管內，在骯髒的竹節上直接糊了一層泥板，這表示牠已選定乙管來築新巢了！

為何牠在第一個巢的封口尚未做好時，就另覓竹管做新巢呢？

當我劈開這根還未完全封好的竹管後，才找到了原因——巢內竟然是空的，原先牠在早上所貯存兩隻捲葉蟲都不見了，只剩下一些被咬碎的螞蟻屍體。顯然是螞蟻趁蜂不在時，進去管內想要偷偷搬走蟲，正巧被牠發現，所以一隻隻就都被殺死了。

這隻赤面蜂既然已決定放棄這個空巢，那麼，為什麼還要用泥封好呢？我在觀察了多次類似的情形後，發現赤面蜂和黃面蜂常常會這樣做。這就是所謂的「昆蟲愚蠢的本能行為」嗎？也許是。

●這根竹管被螞蟻入侵過，貯存的捲葉蟲也被偷走。從剖面圖可見到管內留有螞蟻殘骸，而管口已經封上了。

●寄生蠅正停在黃面蜂築巢的竹管口邊，等待主人回來。

可是，像前面那隻，把封口作業半途作廢，而去找另外的竹管開始築新巢，這種做法，是不是牠在中途「想到」巢內（甲管）是空空的，因而停止封口作業？那麼，是不是那隻赤面蜂特別聰明呢？這一點可就難說了。

我必須在此提醒一句：受到自然因素或是人為干擾，以致於蜂要棄巢時，通常黃面蜂會先封口，但也有的並不封口，直接就離去了。這是不是表示：同種的蟲，有些個體會做「愚蠢的行為」，而有的不會？

黃面蜂及赤面蜂，受到外敵的騷擾而要清理或放棄巢室時，會先把貯存的獵物一隻隻抓去外面丟掉，好像飛機投下炸彈似的。這是什麼原因呢？

我先說結論：牠們可能是極度憤怒，因而發洩情緒於第三者。

在侵入牠們巢中的所有敵人中，寄生蠅看來是最討厭的。有很多次，我看到寄生蠅靜靜的停在黃面蜂的竹管入口附近，可能是在等機會進行寄生行動。

而我所觀察到的幾次過程，都是這樣的──寄生蠅一見到黃面蜂或赤面蜂帶著蟲回來了，馬上起飛，尾隨而行。當黃面蜂發覺被跟蹤，通常是徘徊不前，不隨便飛進巢內。但是赤面蜂不一樣。有一次，赤面蜂被一隻寄生蠅跟上了，牠突然來個一百八十度度大轉彎，然後全速飛走，飛得非常快，立刻擺脫跟蹤了。可見牠們比黃面蜂聰明。

在我觀察的過程中，有幾次正在緊要關頭時，因為有重要的事必須離開，無法繼續觀察下去。而當我再回來時，總是

看到悲劇的收場——蜂正憤怒的，從竹管內把一隻隻捲葉蟲咬出來，飛到半空中拋棄。

這些無辜的捲葉蟲，有時會被帶到附近的樹上，被憤怒的蜂刺了一兩針才丟棄。有一次，我看到一隻捲葉蟲被連續刺了好幾秒鐘，這樣似乎還不能消除蜂的怒氣，接著，甚至狠狠的咬遍整個蟲體，才離開。

當黃面蜂及赤面蜂受到其他的人為嚴重干擾時，同樣也會拋棄獵物。有一次，黃面蜂剛完成了封口，我馬上把封口泥層弄壞。當牠回巢時，立刻發覺不對勁，卻不浪費一點時間去思考到底發生了什麼事，馬上就把所有貯存的獵物一隻隻拋到外面，然後封好入口，遠走高飛。🐝

●這隻黃面蜂把捲葉蟲從巢中抓出來，帶到附近的樹葉上，狠狠的咬遍整個蟲體。

●黃面蜂正把捲葉蟲從巢中抓出來要丟棄。

第6章

本能・智能・超能

以人類而言，如果想要擁有某種能力，大部分都是要有別人來教才行，所以會認為動物也一樣。……就因為有這樣的想法，才會產生：「本能是誰教出來的呢？」這樣的問題。我認為這種思考方式真是太偏向「以人為本位」了。人類的思考方式，真的能夠完美的追求到真相嗎？別忘了蘇格拉底曾說過的：他不能真正的「知道」任何事情……

●在黃面蜂築巢的竹管下方，這隻小青蜂（寄生蜂）正虎視眈眈的等待主人歸來。

昆蟲是「本能的奴隸」嗎？

看過搖籃蟲和狩獵蜂的種種表現，我們不妨來談談「昆蟲是本能的奴隸」這種觀念。

一般人都認為：昆蟲不會思考，牠們只是依照「本能」來行事，而本能的行為是盲目的，就像自動機器一樣。一直到幾十年前，甚至很有名的學者之中也還有持這種想法的。

這種長久以來已經根深蒂固的觀念，是怎麼來的呢？我認為可能與法國的昆蟲學者法布爾有相當大的關係。

法布爾的名著「昆蟲記」，對後來的學者影響實在太深了。他做過很多詳細的觀察與試驗，體認到昆蟲的本能實在是很了不起，非常完美！但是他也說：「昆蟲的本能有很愚蠢的一面。」

現在，我們來看看「昆蟲記」裡提到的兩個例子，並且好好來探究問題的核心。

第一例：有一種產於法國南部的「穴蜂」，做巢時，會先挖一個地下洞穴，然後去捕捉獵物——擬蓋蝨，把牠放入洞穴內，並在獵物身上產卵。之後，用土砂封閉地下洞穴，這樣完成一個巢。

法布爾做了這樣的試驗：當蜂在封閉巢穴時，他把蜂推開，並從巢穴中移走獵物，然後觀察蜂的反應——那隻蜂馬上跑進地下巢內，一陣子之後，跑出來，然後重新用土砂開始封巢，完成後就飛走了。

有些種類的狩獵蜂會有這種習性：要外出狩獵時，會先暫時封巢，以避免外敵侵入。所以，法布爾猜想這種蜂可能也有這種習性，也就是說，過一陣子之後，牠可能會回來再度

使用那個巢。於是法布爾在一個星期之後，回去同一地點，查看這個巢穴。只見它維持著封閉的狀態，而裡面仍然空無一物。

法布爾的結論是：「這種穴蜂由於本能的驅使，會做出一系列的築巢工作，就像自動機械一樣。但是蜂並不知道每一階段工作的意義。」他認為這種無意義的行為，是「愚蠢的本能」。

法布爾做這試驗，是用多少隻蜂才完成結論呢？關於這一點，並沒有確切的資料。但我想：如果他用很多隻蜂或是別種穴蜂來做試驗的話，結論可能就不一樣了。

再來看看法布爾所做的第二個例子：他看到一種「泥工蜂」正在用泥土做壺形的巢體，就故意在巢體上戳一個洞。蜂馬上做修補工作，把洞填補好。等到巢體完成，蜂開始去採蜜，儲存在巢內作為幼蟲的食糧。當蜂開始採蜜後，法布爾同樣在巢體上戳一個洞。而蜂看到蜜汁滲流出來，卻不知道要修補，只是繼續採蜜的工作。

最後，法布爾的結論是：「當蜂完成一個階段的工作，進入下一階段時，就沒有意識到上一階段工作的意義了。」

現在，問題出來了──美國的一位昆蟲研究者Verlaine，做了同樣的試驗，他所用的泥工蜂的種類也是和法布爾的一樣。結果，他發現這隻蜂會停止採蜜，先去修補被戳破的洞；補完了之後，才繼續原來中斷的採蜜工作。

同一種蜂，遇到同一情況之後的反應，竟有這樣大的差異，為什麼呢？美國的昆蟲學者T. C. Schneirla認為：「法布

爾所用的蜂，是季節末期的老蜂；而Verlaine用的，則是年輕的蜂。」所以他認為：「昆蟲的年齡差異會影響牠的行為。」和人類一樣，昆蟲也有老化現象，記憶力也會減退。這是對的，現在已經有人實驗證明了。

但是，我也可以這樣說：「Verlaine用來做試驗的年輕泥工蜂，有頭腦，會思考。」

事實上，那隻蜂確實是知道牠應該要做什麼的。所以我們應該要說：「蟲也是會思考的。」但是Schneirla卻一點都沒有提到有關泥工蜂「可能會有思考能力」的事。

近代的研究者一般都有這樣的想法：「同一種動物，包括昆蟲，同一種而不同的個體之間，可能在本能上會有差異；某一個體的本能，可能異於其另一個體的本能。」

可是，我認為這是偏見，他們非要把昆蟲說成是「沒有腦筋思考」不可。當同種類而不同個體的兩隻昆蟲工作方式不同時，他們只說是因為個體的本能不同，而不肯承認可能昆蟲也會思考。

我曾長期觀察兩種狩獵蜂的行為，之後發現：即使是同一隻蜂，在做同一種工作時，有時也會用不同的方法來進行。如果要借用前述研究者的論點來解釋，那麼，在這樣的例子中，我們豈不是必須說：「同一隻昆蟲，在一種本能內，會具有幾種不一樣的本能」了嗎？這樣說法，真是令人如墜五里霧中。

本能與智能

在各種不同的寄生蜂之中，小青蜂（*Chrisis fuscipennis*）的寄生行動最有「學問」，看起來也有警戒性和高度的智

慧。牠們在竹管間飛來飛去，有時會停在竹管入口，探視裡面是否有黃面蜂或赤面蜂所築的巢。若有，牠們不會貿然就進入裡面產卵寄生，而是在竹管入口下方或附近守候著，面部朝向竹管入口，等待主人回巢。

牠們的耐心值得讚揚。有一次，我觀察到一隻小青蜂在一個固定地方等待寄主黃面蜂回巢。牠先等了十五分鐘，然後移近些，又等了五分鐘，然後飛走。是不是等得太久，不耐煩了？不是的，大約二十分鐘後，牠又回到同一地點等候，這回又等了二十二分鐘後，才終於放棄而離開了。

在什麼時候「摸」進巢中去產卵會是最安全？小青蜂們很清楚──當然是在寄主蜂剛離開巢時，既保險，又有較充裕的時間可以行動。牠們不會貿貿然就隨便闖進竹管去，以防寄主蜂正在裡面，被逮個正著。難怪牠們會辛辛苦苦的在外守候，耐心的等待黃面蜂回巢。

如果小青蜂在竹管入口等候時，被寄主撞見了，會有什麼麻煩呢？令我相當失望，並不是一場拚得你死我活的血肉戰──只見寄主黃面蜂通常只是被動的追趕了一下小青蜂，像在竹管上捉迷藏一樣。

有一回，一隻小青蜂飛到竹管入口下方大約十二公分處等主人回家。當黃面蜂回來，只追逐一會兒就停止，逕自進入巢內。小青蜂等黃面蜂一離開巢，很快的進入裡面產卵寄生，隨即又出來，飛走了。牠的手腳之迅速俐落，簡直和人類的小偷一樣。

如果真要比的話，「怪盜」小青蜂的功夫可能比有些小偷

還來得高明吧。如果有人想要當小偷，他大概會這樣想：最好找一個獨居的有錢人住宅，趁主人不在時，摸進去之前先在窗口偷窺探看屋內情況。但是這是最好的方法嗎？其實是下策──從小青蜂的做法已給我們啟示了。

小青蜂的「本能」，是不是會比那些不太用腦筋的人類聰明一點？

不過，「本能」到底是什麼？

「本能」這一詞，本來就是很難解釋的。對人類來說，有

●黃面蜂一飛出去後，小青蜂立刻進入竹管內產卵寄生。

很多事情需要別人的教導，再反覆練習，然後才學會做某一樣事情；而動物卻不需別的動物教導，天生就能做出各種行為，這樣的能力叫做「本能」。

但是，這種說法只是談到「本能是什麼」而已，並沒有說明動物「如何得到本能」。所以有人會追問：「動物的本能是誰教會的？」或是：「牠們到底是從哪裡得到這些能力呢？」

在這裡，有更重要、立即要問的是：「動物界真的存在這種問題嗎？」

以人類而言，如果想要擁有某種能力，大部分都是要有別人來教才行，所以會認為動物也一樣，先要有其他動物來教，才會有「能力」去做事。就因為有這樣的想法，才會產生：「本能是誰教出來的呢？」這樣的問題。

我認為這種思考方式真是太偏向「以人為本位」了。人類的思考方式，真的能夠完美的追求到真相嗎？別忘了蘇格拉底曾說過的：他不能真正的「知道」任何事情。

無論如何，人們實在不清楚「本能的本質」究竟是什麼，只能「描述」本能而已；而真正的本能之實體，是不可知的。當一個人說：在一個本能（不可知）裡面，會有幾個不一樣的本能（不可知）時，這樣的說法有什麼意義呢？

科學持續在進步，近年來開始有人說：「動物可能沒有智能，但是有能力學到一些事情。」如果智能含有「靈性」的成分，很難令人相信昆蟲會有智能。可是，如果把「有『能力』學到一些事情」這一句話中的「能力」稱為「智能」，而思考能力又是屬於智能的一部分的話，這有什麼不對呢？如果有人還是認為「不對」，那麼我們可以認定它只不過是「語言」的問題，是「人類之語言」的問題，其實和「事實」並沒有關係。

科學一直在演化著。近年來在動物行為研究，有一個新的分支，稱為「認知行為學」（cognitive ethology），這方面的有些學者認為：「動物，包括昆蟲，也可能有『意識』。」他們並不是空口說白話，而是正在努力以研究來證明。

現在，我們來看看黃面蜂是不是也可能會有「意識」，知道自己在做什麼；而在突然出現意外的狀況時，牠們是不是

也可能會動腦筋「思考」如何來解決問題。

有一隻黃面蜂在竹管內築巢，從管側的小洞口出入。當牠外出狩獵時，有一隻小青蜂來了，耐心的的守在洞口的下方。不久，黃面蜂帶著捲葉蟲回巢中放好，又繼續出去狩獵。這時，小青蜂立刻進去竹管內，把卵產在巢中的捲葉蟲體內寄生，然後立刻離開。

黃面蜂回來後，馬上察覺曾經有外敵侵入過，於是開始把貯存的捲葉蟲一隻隻抓出去丟棄。在過程中，突然發生意外情形——蜂正抓著一隻捲葉蟲往外拉時，蟲的尾足卡住洞口，使得蜂無法順利的起飛。蜂不斷掙扎著，試了又試，還是無法飛走。

就在這時，蜂發現原來是蟲用尾足緊緊抓住洞口邊緣，因而使得牠拉不動，於是蜂改變策略：只見牠轉個方向，把蟲向上拉一下，再試飛，果然使尾足鬆開了。於是蜂繼續用力振翅，終於成功的帶著捲葉蟲飛走。

像這樣類似的情況，我曾經見過很多次，但是其他的黃面蜂，處理方式卻不一樣，牠們都是死命的拉扯，最後還是可以把捲葉蟲拉開而飛走。只有這一隻很特別，牠並不強拉，而是懂得改變策略。

這隻蜂確實令我難忘。如果只會照著本能來行事的話，牠應該只會拼命的硬拉，不知變通，甚至會一直拉到力竭死亡為止。可是牠卻在拉了幾下後，就知道問題出在哪裡，也知道要先讓蟲的腳鬆開才行。所以牠立刻改變方式，終於解決了問題，我認為牠知道該怎麼做，也知道自己在做什麼，這很可能代表著牠可能是有「意識」的。

1 有一隻黃面蜂在右邊的這根竹管內築巢，牠是側面的洞口出入

4 黃面蜂正把捲葉蟲帶進竹管的洞中

5 把捲葉蟲放好後，黃面蜂馬上又飛出去繼續捕

8 很快的完成寄生後，小青蜂出來，飛走了

9 黃面蜂沒帶著獵物就回來了，這是牠的"homir 動作，要檢查巢內是否有問題

在這根竹管洞口下方，正有一隻小青蜂守候著
等待主人黃面蜂回來

3 黃面蜂帶著捕獵到的捲葉蟲回來了

小青蜂見到黃面蜂離去，立刻準備要進入巢內

7 小青蜂進入黃面蜂的巢內產卵寄生

黃面蜂鑽進巢中，馬上發現有外敵侵入過了

11 牠開始清理巢內

12 黃面蜂抓著一隻捲葉蟲出來

13 黃面蜂抓著蟲，飛出去丟棄

16 蜂想要抓好蟲，以便可以飛行

17 蜂正試著起飛

20 牠似乎發現問題所在了

21 牠知道捲葉蟲用尾足抓住洞口的邊緣，所以拉動

黃面蜂又回巢，繼續要處理其他捲葉蟲

15 黃面蜂抓著另一隻捲葉蟲，要往外拉出去

捲葉蟲的尾足卡住洞口，蜂無法順利起飛

19 蜂試著動來動去，但都沒辦法飛走

牠將捲葉蟲往洞口上方拉一下

23 再試飛

24 蜂再試著把蟲往上拉，使得蟲的尾足鬆開了

25 蜂再往下飛，終於可以拉動蟲了

26 黃面蜂用力振翅

27 蟲的尾足離開洞口

28 黃面蜂終於能帶著蟲飛走

29 飛走了

在〈第三章〉中，我們曾談到：人類如果不藉助於「對比」所產生出來的力量，是沒有辦法思考的。可是，「對比」會有偏差，以致於使人們感到：「越想越糊塗。」

如果沒有「對比」，人就看不到事與物，看不到黑紙上用黑墨水寫的字。當我們在白紙上畫一朵花，很好看，但是同樣的花畫在黃色或其他顏色的紙上，也許就沒那麼好看，或甚至會很醜了。這是因為所根據的「對比」不一樣，使人產生的想法也不一樣。

坐在公車上時，每個人都知道自己正在移動中。這是由於搖晃、振動所產生的「對比」，忽左忽右，又上又下，不一致所產生的「對比」，使人知道自己正置身在移動中的交通工具裡。如果換成坐在窗戶全部關閉的飛機上，而飛行非常平穩，沒有搖晃振動的情形，乘客很可能就完全沒有感覺正在移動中了。這就是說明了「對比」的本質。

如果沒有了「對比」做為背景，人的知覺幾乎無法產生，也無法思考。因此，「對比觀念」自然的演化出「因果觀念」來。但是如果要真正去瞭解每一「果」之「因」，會是極端困難的。因為在那個「因」之前，也有另一個先前的「因」存在；再往前溯，還有更早就開始的另一個「因」可以追究……這樣一直回溯下去，會發現每個「後果」都有數不完的「前因」。

如果想要查出「本能是誰教的？本能的老師在哪裡？」那麼，到底要考慮多少個「前因」才行呢？可想而知一定是算不完的。

因此，我們可以很清楚的瞭解，人類的思考能力其實是極

其有限的。我們不可因為專家們很有名氣，就盲目相信他們所說的每一句話。我們理應對專家們主張的「本能之導師」說，提出批判。

他們說自然淘汰（物競天擇）就是動物本能之導師。意思是說：祖先們長久以來為生存而演化出來的最起碼的能力，遺傳給後代的，就是「本能」。為了要使這理論更具說服力，學者們甚至發明了「偶然的遺傳因子變化」或「突變」之類的術語。

在日常會話裡，我們當然可以使用「偶然」或「突然」等字眼。可是在科學界裡，會有「突然」或「偶然」發生的東西嗎？在一般人的感覺裡，地震是突然發生的；可是有一些動物早在地震發生之前，就能察覺到事情將要發生。

好吧，就算我們接受這種「有變異發生」的說法，同意人家說「演化是源自於物競天擇加諸於偶然的『遺傳因子變化』」，並且說「本能就是祖先自演化中所得來的能力的遺傳物」。簡單的說，本能的老師就是物競天擇或演化；動物具有本能，是「果」，它的「前因」就是物競天擇或演化。但是，如果有人接著要問：「是什麼原因促成物競天擇或演化？」這還是一種「因果」的想法，如果這樣討論下去，想來是不會有結論的。

如果一定要說本能是祖先依靠演化所獲得的能力，而遺傳給子孫的話，下面的幾個實例就無法合理解釋了。

如果蜂卵失而復得

當黃面蜂遇到外敵螞蟻闖入巢中傷害或取走蜂卵時，牠知道要如何處置——如同我們在先前所看到的，牠們通常會清

除貯存的獵物，一隻隻丟到外面。

這種行為是本能，遺傳自牠們的祖先。我們可以推想：牠們的祖先必定是有過這種「遭到敵人侵襲、擾騷」的經驗，一而再，再而三之後，演化出這種因應方式，不惜把辛苦抓來的美味獵物丟棄。

這樣一來，我們可以穩當的假設：黃面蜂的祖先不可能有過「蜂卵失去後，突然又回到蜂巢中」的經驗吧。不可能會有螞蟻偷了蜂卵之後，忽然覺得不好意思，就把蜂卵送回蜂巢。

以這個假設作為基礎，我曾做過這樣的試驗——

當黃面蜂在外面忙著獵捕捲葉蟲，準備貯存在巢內時，我偷偷的把竹管中的蜂卵取走。

黃面蜂帶著牠的獵物回來了，一進入巢中，立刻發現牠的卵不見了！只見牠非常緊張，在竹管內上來、下去；又在竹管的外圍四周飛來飛去。一陣子之後，牠在竹管入口靜止不動，做出守衛的姿態。幾秒鐘之後，決定放棄牠的巢，開始固定動作的第一步：把蟲抓出去丟掉。這種「本能」的行為是固定的、是不變的，牠一定會把全部的蟲都抓出去丟掉。

但是，當牠帶著第一隻蟲飛出去後，我立刻把牠的卵送回巢內。

蜂飛回來了，正要帶第二隻蟲出去丟棄時，立刻發現原先失去的卵又在巢內出現，牠立刻表現出一種「真奇怪」的反應——

等一等，蜂真的會「覺得奇怪」嗎？我知道可能有些學者會反對這種說法。但是，在反對之前，且先繼續看看以下的

事實，再做評論吧。

當黃面蜂看到巢內又有卵時，牠的反應是如何呢？——只見牠靜靜的站著一陣子，面對牠的卵，只是不停的擺動觸鬚。然後，慢慢的爬上竹管，這過程完全沒有緊張的動作。牠馬上又下去，再看看牠的卵。就這樣，在竹管內上上下下幾次之後，飛出去了，這回是空著手，沒有抓著蟲出去丟掉。而當牠回來時，又帶著新的獵物。顯然，牠已經恢復繼續為孩子貯存食物了。

黃面蜂的這種行為可說是合情合理的，因為「本能」是祖先所遺傳，而牠的祖先不可能會有這種「卵失而復得」的經驗。這個道理很清楚，黃面蜂珍視自己的卵，為了繁殖下一代，牠的行為恰當而有意義。這也代表著牠有心、有腦筋，才能做出那樣的行為。所謂的「智能」，本來就是「心」與「腦」的產物。

黃面蜂的這種行為，也否定了美國一位著名生物學者Ross E. Hutchins的論點：「……這蜂的心智像錄音機一樣，一旦啟動就必須持續到結束。只有當『帶子』放完了，倒帶回去，才能重新再來一遍。」如果按照這種理論，當黃面蜂發現卵不見了，開始丟棄第一隻蟲後，應該就會繼續不斷的丟，直到所有貯存的蟲全都丟光為止。

像這種把本能行動看成是「不能在中途變更的固定動作模式」，其實是錯誤的吧。

如果一定要知道本能的來源，我們必須先知道生命是怎樣產生、演化的。科學家可以用「假說」來解說，但是「假說」也很可能隨時被推翻、否定。有很長的時間，科學家相信

【李淳陽昆蟲記】

，生命的起源來自於海水中的原始有機物。可是現在卻有科學家主張應該是來自於外太空。

不但如此，假說也僅僅解釋了事情的表層而已，內在的「為何」與「如何」，常常仍然是不可知的。

築巢步驟可以變動嗎？

我曾看過一隻黃面蜂中斷封口工作，飛到鄰接的一根新的竹管，詳細的檢查內部及外部，然後才又飛回原處，繼續原先中斷的封口。等牠完成這工作之後，再飛到剛剛察看過的新竹管內產卵，開始築新巢。由此可見，前面Hutchins的「本能錄音帶說」，絕對無法成立。

還有，下面的例子，可以清楚說明黃面蜂及赤面蜂的築巢順序是可以變動的——牠們由竹管側面的出入口爬進管內後，往上做出一個育嬰室。

如果這些蜂的工作順序不能中途改變，一定要照著「產卵→貯存捲葉蟲→敷泥層來封室」的步驟的話，那麼，像這種築巢順序不同的育嬰室，是不可能做出來的。

因為如果要做出這種奇特的育嬰室，我們可以推想蜂在產卵後，必須先要做出部分的「隔間地板」，以便抓捲葉蟲進來時有存放的地方；等到蟲放滿了，才將這隔板全部封閉，完成這個育嬰室。所以，牠的步驟會是「產卵→敷部分泥層→貯存捲葉蟲→敷泥層完全封室」，不但步驟和平常不相同，相較之下也複雜和困難得多了。

我曾觀察一隻蜂在竹管側面入口上方，大約八公分處所築的這種育嬰室，裡面貯存的捲葉蟲，每隻都是全身沾滿竹管內壁的表皮屑，可以想像當蜂在竹管中，要把牠們往上拖到

●這根竹管下方鑽有一個圓洞，有一隻黃面蜂從此洞進入做巢。牠先往洞口上方做出第一室後，接著又在洞口下方做出第二室，然後就不再繼續了。

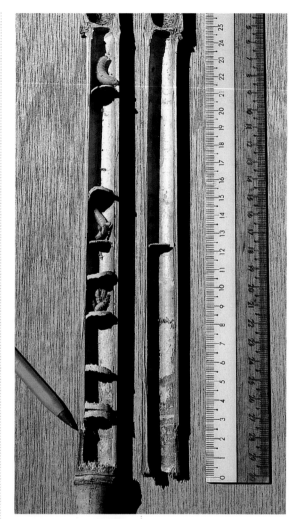

●在這根竹管中，筆尖所指處是出入口。有一隻黃面蜂從洞口進入後，在上方做了三室。

育嬰室裡時，會是多麼辛苦的工作！

當然，並不是所有的黃面蜂都會這樣「自討苦吃」。有些從竹管側面的一個出入口進入，只在洞口下方，依照平常築巢程序，建造一個育嬰室，就封口、飛走了。

像這樣，在同一種類內各個體間之差異，真是不勝枚舉，我不再浪費時間一一列出。我只想強調：牠們絕不是「本能的奴隸」，也不是沒有智能的動物。雖然牠們是靠本能行事，但是在牠們的本能中也有智能。事實上，我認為「本能」或「智能」這樣的名詞，只是為了方便一般用途而已，而絕不是用來探尋真理的。

哈佛大學教授Marc Hauser的觀點是：「如果說，『智能』這一詞的觀念，在動物心智之研究上扮演什麼角色的話，那就是針對著『物種的求生』這方面而談的。在為生存而搏鬥的過程中，大自然是智能的唯一決定者。搏鬥後存活下來的，才算是有足夠智慧，得以延續生命；而滅絕的物種，則是稱不上有智慧。」

現在專家們常警告說，地球上每年有數以千計的動物種類，大多由於人類密集捕獵、濫墾而失去棲息地，以致於絕種。也有專家說，在所有瀕臨滅絕的物種中，人類是處於最危

險邊緣的。

　　到底是什麼使得人類面臨滅絕之威脅？我認為是「真正智能」的缺乏。人們通常用來做為與「本能」對照的「智能」，不可能會是真正的「智能」，我寧可這麼說。

不可思議的超能力

　　大家都知道，在這世上有少數人具有超能力。例如有人可以用布矇住眼睛，在交通繁忙的街道上開車而絕不出事。有的人則能用耳朵「看見」東西……。這些能力，常常在科學理論上是無法解釋的。

　　其實科學的力量很有限，不可能解釋或解決所有的問題，或作為追求真理時的最後憑藉。愛因斯坦曾說過：在物理學範圍內的討論，可能到最後會變成哲理的討論了。我相信，不只是物理學，所有科學的討論，最後的結論都有可能是「不知道」或「無法知道」。

　　在昆蟲界，也有具有超能力的種類。奇怪嗎？一點都不。人類會有超能力者，昆蟲界當然也會有。造物主是公平的。但是要發現並且進而研究這樣的昆蟲，那就真的要靠天才了。美國佛羅里達大學的James E. Lloyd教授正是其中之一。他發現有一種螢火蟲*Photuris versicolor*，雌蟲具有超能力，天生就能解讀不同種類螢火蟲的閃光訊號。

　　我們都知道螢火蟲會藉著發出的閃光型式，來傳達信息、談情說愛。而螢火蟲求愛的方式一般是這樣的：雌螢火蟲在地面的雜草堆裡，看到天空中飛行的雄蟲發出的閃光型式，就知道哪隻雄蟲在尋找伴侶。閃光一次的長短、間隔的時間

，或是閃光的次數，每一種都有自己固定的方式。當雄蟲在空中閃光，地上的雌蟲一看就知道是不是同種；如果雌蟲有意交配，就發出牠們之間相互能了解的的信號閃光，吸引他

下來。這種「光」，可說是世上最具學問、最「羅曼蒂克」的求愛表現方式。聽說茱麗葉在陽台上，也是用火光傳送訊息給羅密歐的。

●螢火蟲用閃光來傳達求愛訊號

但是，世上最羅曼蒂克的事，有時也會以悲劇收場，不論人類或昆蟲的世界都一樣。在空中飛繞、尋找伴侶來度過一夜春宵的Ａ種雄螢火蟲，會碰到什麼樣的悲劇呢？當牠正滿心歡喜，以為可以投懷送抱，不料竟被雌螢火蟲吃掉了！

　　事情是這樣：在地上的那隻雌蟲和Ａ種雄蟲並不是同種，而是前面提到的*Photuris versicolor*雌蟲。這種雌蟲沒有經過「補習」，也沒有做過「研究」，但天生就知道別種螢火蟲雌雄之間的求愛通訊方式。肚子餓了的牠，看見Ａ種雄蟲在空中求愛，就放出「Ａ種雌蟲的信號」，騙雄蟲下來。果然雄蟲真的下來了，結果就是一場「死亡的擁抱」。

　　根據Lloyd教授的說法：這種*Photuris versicolor*雌蟲知道好幾種「別種螢火蟲雌雄之間的求愛信號」，因此能讓牠騙到比較喜歡的其他種雄螢火蟲下來大快朵頤！

　　人類史上最有名、最厲害的女間諜Mata Hari（1876～1917），如果知道這種雌螢火蟲具有這樣的天賦，可能也要甘拜下風，同時再也不敢再使用「人定勝天」這類字眼了。

　　要結束這一章之前，讓我們再仔細來思索：為何會有生物學家要問：「昆蟲的本能是從哪裡來的？是如何得到的？本能的存在理由何在？」這樣的問題。

　　其實不只是生物學家，也有物理學家說：「不知道宇宙存在的理由，只討論宇宙如何誕生、演變……等等的話，並沒有實質的意義。」

　　在前面各章，我們已談過人類以「對比」來作為思考的動力，而從對比生出因果觀念。但是依靠這種思考方式，我們並不能真正瞭解「真實」。

　　不但如此，有一件事甚至還會使人類增強因果的思考法，那就是生活方式——人類離開大自然實在太遙遠了，如果不依賴人工做出的東西，簡直無法存活。而人工製造的東西都有「存在的理由」，所以人們習慣會追問任何事物的存在理由。

　　例如：一根樹枝可當作柺杖使用，但需要有人將它加工，以便更合用。於是就有人會好奇的問：「老先生，你這支柺杖是在哪裡買的？」這可以稱為「柺杖的來源或存在的理由。」但是如果沒有加工過，我相信很少人會想要追問那根樹枝「存在的理由」。

　　所有動物都有本能，它跟生命緊密相連，我們在前面已說過了。人類如果要追問本能的來源，就必須先思考生命的來源。有人說：「生命起源於海洋中的原始有機物。」然而，海水從何而來？又如何能夠萌生原始有機物呢？……

　　如果有人一定要追索「存在的理由」，那就必須觸及哲學的「存在論」不可了。是的，我們必須了解，科學研究到最後，就會變成哲學的探討，而最後得到的結論，很可能會是三個字：「不可知」。🐝

第**7**章

昆蟲眞的會像人一樣嗎？

科學家這樣說：有「物質」存在，也就會有「反物質」的存在；有「作用」的地方，也就有「反作用」。「感情」是自然流露出來的，昆蟲有歡喜，也就會有悲傷，這理論應該可以成立吧？問題是，昆蟲不會流淚，牠們的痛苦、哀傷，我們既看不到，也聽不到……

這隻赤面蜂利用細腰蜂的舊巢來築巢。經過一番清理後，便把觸鬚收在巢裡睡了一覺。醒來後把觸鬚放到外面來，仍悠閒的躺了一會。

昆蟲會感到快樂和悲傷嗎？

德國詩人席勒（Schiller）的著名作品「快樂頌」中，有這麼一句：「即使是蟲，也能感覺到歡愉。」

我第一次看到這句詩時很高興。因為一般人看到了蟲，通常就會把牠踩在腳下；而詩人卻不把昆蟲看成是沒有用、討厭或甚至是有害的小東西。

我接著就想：是什麼情景，會使席勒認為昆蟲也會有喜悅？昆蟲真的也有感情嗎？我開始幻想起來：是不是因為詩人看到蟬從早到晚快樂的鳴唱個不停？或是秋季長夜，蟋蟀用翅膀振動，有如用「小提琴」拉小夜曲，會一直拉到天亮？或是……？

但是，昆蟲真的能感覺到快樂嗎？

我曾觀察過一隻赤面蜂，牠利用細腰蜂的廢巢做為自己的巢，並且在裡面睡覺。

要利用這種現成的巢，並不是一件容易的事情，首先要先清理內部的垃圾，也必須擴大房室，因為原先的空間太小，出入不便。經過一番辛苦之後，完工了，先產卵。但是還不急著出去捕獵，所以何不休息一下呢？因此，牠就躺下來睡著了。

「你怎麼曉得牠在睡覺呢？」可能有人會這樣問。

我們可以從牠們警覺性的改變來辨識出來：起初，牠側身躺著，觸鬚搖擺不斷，當我在牠的面前揮動手指時，牠的反應非常靈敏。然而，漸漸的，觸鬚的搖擺慢了下來。最後，整個停頓了，我相信這時牠已經沈睡了，因為我的手指揮過眼前時，牠並沒有任何反應。

● 正開始築巢的長腳蜂

　　而當牠從小憩中醒過來時，很少會馬上去工作，而是仍然躺在那兒，悠閒的擺動觸鬚。我覺得，這時候牠必定是快樂的。

　　長腳蜂剛開始築巢時，也會有類似小憩的時間。這時，牠們還不必忙於工作，只用一隻前腳爪勾住巢，讓整個身體懸吊著，一副完全放鬆的靜止姿態。當微風輕拂，牠的身體就隨著輕輕的前後搖擺，看起來真是很舒服，甚至使我幾乎幻想著牠們正在打鼾呢。

　　豆娘可能也有歡愉的時光。牠們交配時，雌蟲的腹端會彎曲到雄蟲腹部前端的儲精囊，結合受精。當雌雄連在一起，靜靜的棲息在植物上，一停就是幾個小時；或者是兩兩相連，到處雙宿雙飛。看到這種情景，我不免就會想像：牠們是

不是在新婚旅行？或是剛剛定情，在一起享受美好時光？

　　昆蟲能感覺喜悅，這一點我不存疑。那麼，牠們也會感到悲傷嗎？

　　科學家這樣說：有「物質」存在，也就會有「反物質」的

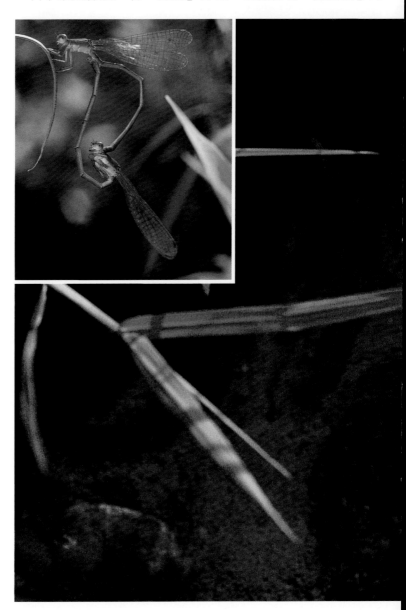

●正在交配中的豆娘，雌蟲在下方，把腹端彎到雄蟲腹部前端，結合授精。

存在；有「作用」的地方，也就有「反作用」。「感情」是自然流露出來的，昆蟲有歡喜，也就會有悲傷，這理論應該可以成立吧？問題是，昆蟲不會流淚，牠們的痛苦、哀傷，我們既看不到，也聽不到。

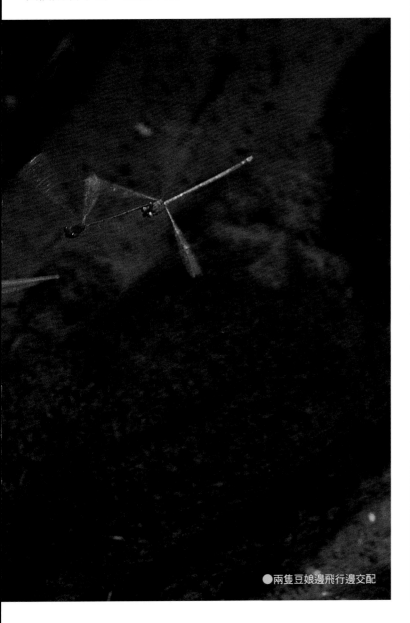

●兩隻豆娘邊飛行邊交配

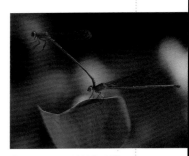

●豆娘在交配前後都會連在一起

●這隻虎斑蜂正在檢視竹
管，看看是否適合做巢。

但是，不妨來看看下面虎斑蜂（*Eumenes arcuata*）築巢的例子：

一般當虎斑蜂在密閉竹管內築巢時，牠們會先進行飛行調查，確定這根竹管沒有裂縫或破洞，就在竹節的下方鑽個小洞，把腹部擠進洞內，在竹管內壁生了一個卵。然後去抓蟲，注射麻醉針後，放進竹管內。

由於洞口太小，牠不能爬進去，所以只能從外面把蟲塞進去。存夠了蟲後，就從竹管上咬下一些纖維，跟自己的唾液混合，把這洞口封上。

如果把竹管剖開，就可以看到巢中獵物的堆放情形、黏在內壁上的卵與封口方式。

大多數的虎斑蜂通常在入夜之前能存足蟲量，完全封管，讓卵和獵物能夠安全度過夜晚。但是，有一次我觀察到一隻虎斑蜂，不知是太懶或狩獵技術太差，在天黑前無法抓到足夠的蟲，只好讓入口敞開過夜。不料天一黑，螞蟻就進去了，搬走了蜂卵。

對於這個意外狀況，這隻虎斑蜂會有什麼樣的反應呢？

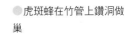

◉虎斑蜂在竹管上鑽洞做巢

◉虎斑蜂把腹部擠進洞內，在竹管內壁產卵。（左圖）

◉虎斑蜂抓了獵物回來，往洞內塞。（右圖）

●在巢內貯存足夠的獵
物後，虎斑蜂正在封上
洞口：牠咬下竹管纖維
，混合著唾液來做封口
材料。

在第二天清晨，當蜂回來時，先用觸鬚一探，已經察覺卵不見了，只見牠靜止不動，一副失神、發愣的模樣，好像快要昏厥似的，只有觸鬚微微動一動而已。

過一陣子，牠把觸鬚伸進洞內探探。這時發現有一隻螞蟻爬過，就慢慢的靠近，把牠趕走，但也不像很氣憤的樣子。

牠回到洞口處，再次探看裡面，又是靜止很久之後，然後飛走了。

我心想牠大概要放棄這個巢了，不料很快的，牠又回來，還是停在洞口處，沒有任何動作，只是呆立著，觸鬚擺動，之後拍兩、三次翅膀。我想牠可能是很感傷吧。

經過一段時間的呆立後，牠才開始動起來，轉身把腹部插進洞口內，生下另一個卵，然後就走了。

當晚舊事重演，又被螞蟻偷襲。第三天，牠的反應和動作也跟前次相同。等到天黑，還是有螞蟻來搬走牠的卵。

讓我們來比較這隻虎斑蜂與黃面蜂或赤面蜂的行為不同處——在遇到相同的狀況時，後二者都會表現出極為震驚的樣子，會在竹管內動來動去，還會急速振動觸鬚。可是，這隻虎斑蜂的行為可說是沒有強烈的反應，只是呆立，像是只有內心的驚訝，沒有外在看得到的激烈反應；牠有如死寂般，靜止一段很長的時間。

這種沒有動作的反應，是不是肇因於內在的感情呢？也許我們也可以說牠在那裡百思不解。可是，我相信那背後也可能有感傷。尤其是當牠又產下一個新卵之前，會拍動翅膀幾次，我看得出牠很可能有的一些「感情」。

那麼，那是「憤怒」嗎？或是「悲傷」呢？我相信兩者都有。而且對我而言，我甚至認為牠是在「哭」。

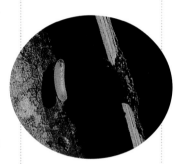

●蜂卵放大圖。右邊黑色部分是封好的洞口。

●剖開竹管，可見到巢上方內壁上有一個蜂卵，下方是貯存的獵物。

153

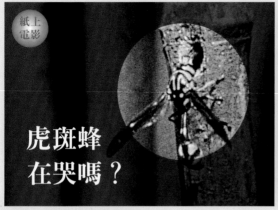

虎斑蜂
在哭嗎？

1 虎斑蜂決定用這根竹管做巢，牠正在竹管中產

4 蜂正把捲葉蟲塞入竹管內

5 天黑後，螞蟻來了，準備偷走蜂卵

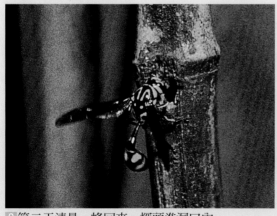

8 第二天清晨，蜂回來，探頭進洞口內

9 蜂發現卵不見了

從竹管側邊的洞口，可見到內壁上的蜂卵

3 蜂帶著獵物回來了

螞蟻正將蜂卵從洞內搬出來

7 螞蟻把蜂卵搬走

蜂再把腹部塞進洞內產卵

11 螞蟻又來偷走蜂卵

12 清晨，蜂回來了

13 蜂立刻發現卵又不見了

14 蜂靜止不動許久

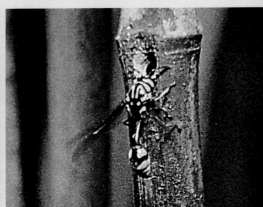

15 蜂拍幾下翅膀。牠是不是在生氣或悲傷呢？

16 牠持續靜止不動許久

17 最後，蜂再產卵，飛走了

受驚嚇的蜂

有一次，我發現一隻赤面蜂利用細腰蜂的舊巢來築自己的巢。細腰蜂的巢室很小，赤面蜂好不容易才爬進去，把獵物放在裡面。而這巢的位置不太好，入口是斜向下方的。赤面蜂必須從下方往上飛，才能停在入口處，很像是飛機「盲目降落」一般，降落時無法看得很清楚。

我從牠的育嬰室裡拉出一隻捲葉蟲，使蟲體一半懸掛在入口外，一半還留在室內。我這樣做只是要試試看而已，並不是想要做什麼特別的試驗。

赤面蜂帶著新的獵物回來，照往例慢慢的由下往上飛向入口，當牠碰觸到半身垂掛在入口處的蟲體時，立刻往後跳，

● 這隻赤面蜂利用細腰蜂的舊巢來築巢，入口斜向下方，牠抓著獵物正要進入。

並且從空中直直往下掉落，好像觸電似的，連本來攜帶的蟲也抓不住而掉落了。牠以子彈般的速度飛走，停落在大約十公尺外的樹枝上，在那裡不停的喘氣、急促呼吸，腹部上下震動得很快。

我看得出牠逃走的速度有多快，也感受到牠受到的驚嚇有多深！牠一直停在那裡休息，很久之後才飛走。直到第二天傍晚，牠才回巢。

為什麼這樣子就能把這隻蜂嚇得那麼厲害？我相信是因為這種狀況不太可能是自然發生的，也是蜂絕對料想不到的。因為平常貯存在裡面的蟲，最多只會稍微動一動而已，既不會走路，更不可能會移動到入口處。事實上，如果蜂在停落之前就看得到蟲掛在入口處的話，可能就不致於會如此震驚了。

另外一次，我把一隻捲葉蟲放在竹管入口處。黃面蜂帶著獵物回來時，並沒有理會那隻蟲，什麼反應都沒有。牠自顧自的爬進竹管、爬出竹管，連看都不看蟲一眼。出出入入好幾次，一直到後來蟲被蜂碰觸到，就自然掉下去了。

還有一次，黃面蜂受到很強烈的的驚嚇之後，永遠從巢位消失了。

這隻黃面蜂築巢的竹管，放在房屋牆邊。我在竹管上方放置一塊遮陽板，因為蜂是不會在光亮處做巢的。

當牠出去狩獵時，我移開遮陽板，以便有充足的光線來照相。蜂帶著捲葉蟲，按照平常的飛行路線回來，當牠繞過牆角，彎進這個築巢的竹管區域時，突然急速的從空中往下掉落，又立刻以「噴射速度」飛走，從此再也沒有回來了。

到底是什麼事，會使牠受到如此強烈的驚嚇？我認為還是因為意外事件——牠繞過牆角時，出乎預料的，猛然看到熟悉的地方竟然在太陽直射下變得這麼光亮，所以嚇了一大跳。我相信如果牠從老遠就看得到的話，應當不致於這麼魂飛魄散。

我必須再度重複重點：黃面蜂絕不在日光直射下的地方築巢，而當牠要飛回巢時，彎過屋角，突然見到強烈的陽光，牠很可能會覺得是碰到天災地變，好像太陽落下來了，要趕快逃命才行！

無論如何，如果蜂沒有意識到「自己正在做什麼事」的話，牠不可能會在驚愕之餘，從空中掉落下來。

蜂也會健忘

在討論昆蟲是否有健忘症之前，先來說一段往事。

中學三年級時，有一天放學時間到了，我高高興興走出教室，發現導師正站在校庭中。他的皮膚很黑，個子較矮，嘴巴特別大，當他大笑起來時，整張臉幾乎只見這張大嘴而已，所以學生們給他取個「蟾蜍先生」的綽號。

他一發現我，立刻叫住我：「來，你來一下。」

我正奇怪會有什麼事時，他已兇巴巴的問：「你為什麼會忘記？」

啊，原來他是要重複早上對我的說教、責罵，現在還要繼續再罵。好吧，隨便他，反正我也習慣了。

多年後的現在，我當然早已忘記那次到底是「忘了什麼事」，竟然會惹得導師那樣生氣；但是，我至今倒還清楚記得當時，我在心中這樣默默想著：「要問我為什麼會忘記？這

真是可笑的問題！如果我知道自己為什麼會健忘的話，我為什麼還常常會忘記呢？」

當然，作為學生的我，在導師面前不會這樣辯護，只有默不作聲而已。

我看到他的臉上泛出輕蔑的表情，顯示出他自認是勝利者；而我因為無法回答他的問題，所以是失敗者，也是不知道為什麼會健忘的愚蠢之人。

「蟾蜍先生」說話一向很不客氣，甚至對於地位次於校長的教導主任，他都敢直言不諱，毫不畏懼。這一點，倒是很受學生們佩服的。

他看我不開口，就自己回答說：「你會健忘，是因為你從來不認為那是重要的事情，對不對？」

我在心裡回答著：「啊，老師，你真的『有問題』，即使是重要的事情，我還是會忘記啊。」

可是我沒有忘記「沉默是金」的古訓，所以還是繼續沉默以對。於是，向來沒耐性的「蟾蜍先生」就叫我走了。

一直到我的壯年時代，這件事的記憶偶爾還會出現心中，因為「蟾蜍先生」認為我之所以會健忘，是由於我的「人格問題」，這種觀念使我疑惑不解，不免會多加思索。我猜想他會對我那樣不滿，是不是因為他認定我的責任感不夠？也許是由於我健忘的紀錄太多了？或是他認為我不認真讀他執教的課，是看不起他？

我為此看過一些有關腦生理學的書，想要瞭解有關遺忘的機制成因，可是一直還是找不到我想要的訊息。

沒想到，由於那些狩獵蜂，我竟然對這個縈繞多年的問題

找到了答案：健忘其實與品德無關，因為，連蜂也會健忘！

我曾經觀察過一隻黃面蜂築巢的過程，牠在A點完成築巢後，就移到B點再築新巢。而收集土塊的地點，則還是在相同的地點C點。

當牠在B點正進著行封閉育嬰室的工作時，飛去C點取了土，理所當然要直接飛回B點，可是有兩次，牠卻從C點飛往A點的方向，一直到飛得快靠近A點的舊巢時，才突然轉向飛到B點，停下來卸下泥土，繼續工作。

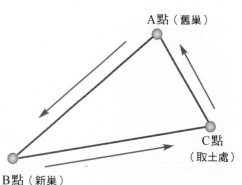

● 黃面蜂築巢動線圖

當時我看到這情形，並沒有想太多，只認為任何辛勤的工作者，不論是蟲或是人，都有可能會暫時忘記某事，一旦想起來了，就回復正確的做法。對我來說，黃面蜂早就像人類一樣了，這是毋庸置疑的。

但是另外一次，我看到另一隻赤面蜂，牠一而再，再而三的，在咬土塊之前，多次忘記要先去喝水、裝在胃裡。

這些狩獵蜂在開始築巢、產卵之前，通常必須先把封巢所需要使用的土的來源和水源位置找出來。當牠們要做封泥層的工作時，就先飛到水源地（例如池塘，或是樹葉上積存的雨水，甚至潮濕的石頭上），喝滿一肚子水後，再飛到有乾土的地方。當牠一口口把土塊咬下時，立刻或等回巢後才吐出水來濕潤，弄成一個泥丸來用。一肚子的水剛好濕潤兩個泥塊，用完水後必須回水源地重裝。

我所看到的是：赤面蜂在取土前，忘了先去喝水的情形。

第一次，牠在抵達取土處之前，還沒有著陸，突然想起「忘」了喝水，立刻就折回水源處。第二次，已經停在取土源處時，才突然想起。第三次更糟了，牠已經開始咬土，然後才發現肚子裡空空，馬上回頭飛去喝水。

第二天，當牠正從事封閉育嬰室的工作時，我仔細檢查竹管內部（這根竹管是水平放置著），發現在這竹管內有一塊乾的小土塊。它怎會在那兒呢？假若我前一天沒有發現牠的健忘症的話，這將成為一個永遠解不開的謎。我幾乎可確定這塊土的由來是：在牠封閉育嬰室的期間，有一次心不在焉，忘了先喝水，直接咬回乾乾的土塊，正要使用時，才發現沒有水，乾土塊就無法使用，於是就把它遺留在竹管內。

在我看到的時候，這隻蜂正要出去再咬土。我希望牠會飛到水源地，喝水裝在胃裡，就直接飛回來，濕潤這塊乾土塊，攪拌成泥，就可使用了。

沒想到，牠竟然口中又咬著泥丸飛回來！

我正感到失望，接下來的事卻又令我高興起來，因為我看到牠在經過這個乾土塊時，直接就把它撿起來，和口中所含著的泥丸混合在一起，拌成質地均一的大泥丸，然後用來封閉育嬰室！牠所做的，比我原先期待的還更聰明哩。

是的，牠曾忘了做一件事，但牠可沒有忘記該做什麼事來彌補、矯正。我甚至會在腦中幻想牠在撿起那個乾土塊時，會自言自語說：「啊！我竟然會這麼健忘……。」

事實上，當人類發現自己忘了某事而又想起時，也會說出同樣的話吧。昆蟲也會像人類，我相信那隻赤面蜂有可能這樣想的。

　　長久以來，昆蟲一直被認為只不過是「本能的奴隸」而已，但是我們不能因此就認定昆蟲沒有意識。我相信牠們真的會意識到自己正在做什麼。

　　在我和狩獵蜂相處的兩年多時光中，我真慶幸能夠親眼見到：昆蟲也會健忘，又會再度想起。自從那天發現赤面蜂的這種行為之後，有很長的一段時日，只要我一想起此事，就不由得會感到心中歡喜，嘴角也不知不覺的浮現微笑。我會這樣開心，就是因為我終於明白：健忘症並不是因為人的德性的問題造成的，而且，昆蟲真的會跟人類一樣。

　　我的歡喜，並沒有就此畫上句點。

　　一有機會，我就會忍不住把這件事跟朋友們分享。聽到這個「蜂會健忘，又再想起」的故事時，大部分的人都會感到驚奇，接著就是不斷點頭和笑起來了。其中有兩位好友的反應，特別值得在此多加描述一下——

　　方醫師是與我交往多年的長輩朋友，他一聽便笑出聲音來，問：「那隻蜂是表現出了什麼樣的行為，才會讓你認為牠遺忘了什麼事？」問完了，他還一直笑個不停。

　　的確，現在想起來，和他做朋友已超過半世紀以上，我卻從未看過他曾笑得那麼開心。最後，他半是自言自語，半像是對著我說：「這個發現，有價值可得到諾貝爾獎。」不過，他還是沒有追問到底，是蜂的什麼事情會使我認為蜂是會健忘的。我想，方醫師真正感興趣的是我發現了這個事實。

　　另外，我最難忘的一個時刻，就是之後有一天晚上，我和幾位常見面的朋友在餐館吃晚餐，其中有一位是台大醫學院的陳教授，他一向沈默寡言。當他聽完我描述那隻蜂遺忘的

經過後，抬起頭沒說一句話，只是若有所思的直視前方，眼神發亮。

我相信在那一刻，他的心中，完全能夠明白我希望人們能夠瞭解昆蟲的什麼事情，以及這些事情內在所蘊含的深刻意義。

會懷疑的蜂

在我拍攝昆蟲影片時，有一次，正設法拍下黃面蜂封閉竹管入口的過程。當時牠的築巢作業已接近尾聲，只要再封好泥層中央的一個小洞就完工了。這時，我發現攝影機的角度不佳，因為當牠在管口停落時，背部會朝向我，使我無法拍

●黃面蜂正以泥土在竹管入口封巢

● 黃面蜂繼續封口工作

● 黃面蜂帶著泥丸回來，
發現洞口被破壞，立刻把
泥丸放在洞口邊，要進入
管內。

● 進入管內檢查

清楚各個動作。於是，趁牠外出取土時，我把這層泥土中央的洞口加大，來延長牠封口的時間，方便我攝影。

　　牠咬土回來，停在竹管入口，立刻注意到泥層被戳破。牠把泥丸放在未完成的泥層邊緣，立刻爬進管內，可能是要檢查看看裡面發生了什麼事情。幾分鐘後，牠從管口伸出頭來，從泥層咬了一塊土，再回頭進去，很可能是要加強育嬰室之泥層。然後，爬出來繼續封口工作。

●檢查後，黃面蜂回頭上來，在洞口泥層咬一塊土，又下去，好像是要補強育嬰室，其實並不需要這樣做。

當牠又飛出去咬土時，我又把洞口加大了。這次，牠回來後，又是屁股朝向我的攝影機，我無法拍攝，所以乾脆就停下，注意看牠的動作。牠把泥丸放在洞口邊緣，直飛到我的攝影機前面！一直飛來飛去，檢查攝影機。我保持不動，並不是怕被螫，而是盡量不去干擾牠。在攝影機前飛了一陣之後，牠又飛回竹管，爬進去檢查。然後爬出來，把土塊咬起來，繼續封口。

在牠又飛走後，我第三次破壞洞口。這次牠一回來，把泥丸放在洞口邊緣，繞過攝影機，直接向我飛來！牠在我的上半身之前飛來飛去，上上下下的，好像在恐嚇我一樣。這時正是夏天，我因為怕熱，總是光著上半身，肚臍裸露。沒想到，牠竟然像是要特別檢查我的肚臍似的。這動作，使得在一旁當助手的我太太笑得前仰後翻。這時候，即使牠要螫我，我也是不會還手的。因為我覺得，在我面前飛舞的，是一位女士，而不再是一隻小昆蟲。

檢查我的肚臍一陣子之後，牠就飛回去繼續工作。當牠又去取土時，我考慮著是否要再度弄破泥層，看看牠又將如何反應。可是，我又想到一再給牠製造麻煩，實在太無情，對於這位辛苦工作、有愛心的母親，我不能再這樣的鐵石心腸了。

讓我們來探討主題──黃面蜂面對同樣的「泥層被破壞」事件，前後三次的反應卻都不相同。那麼，我們還能說「昆蟲是本能的奴隸」嗎？還能說「本能的行為是固定模式，永遠一樣而無從修正的」嗎？

從這隻蜂的反應，至少讓我知道：蟲也有懷疑心，而這懷疑心也會變得越來越強烈，和人類一樣。🐝

第8章

狩獵蜂的算術測驗

當我發現「黃面蜂的行為會像人類」之後，就開始想要弄清楚：如果牠們的數量觀念也和人類相似，都是能夠活用，而不僅僅是依本能的固定模式，每次做的都是同一數目的話，那麼，牠們能不能做一點數目有變化的算術呢？……

●黃面蜂將獵捕到的捲葉蟲帶回巢中

難忘的狩獵蜂

民國六十五年末的某一天，我的老友蔡先生要我當陪客，宴請一位來台訪問的學者Hellmut Fritzsche博士，他是芝加哥大學的物理系主任，也是諾貝爾獎審查委員。

Fritzsche博士本人很親切、和善，五十多歲的他，有點像電影「齊瓦哥醫生」裡的奧瑪雪瑞夫，我還沒見過比他更有魅力的紳士。當他知道我從事昆蟲研究時，立刻流露出極感興趣的神情。原來他每回帶著孩子們去渡假時，時常也會去採集昆蟲。

看來他確實是對昆蟲感興趣的。於是，我便開口對他說：「我發現有些蜂會做算術。」

他並沒說什麼，只是看起來彷彿在思考什麼。

我心想：「弄錯了。他是物理學泰斗，對於『蜂會做算術』這種話題，感到沒什麼意思吧？」

沒想到過不久，他突然問：「是什麼事情，會使得你發現蜂能做算術呢？」

就在那瞬間，我感覺好像有一朵又大又美的花，在我眼前綻放開來。我正要說出我的故事，卻瞥見對面的Frtizsche夫人瞪著我，眼光灼灼逼人。我突然警覺：餐桌上早已擺上三道菜，都已涼了，可是大家都沒有動筷子，因為主客的Frtizsche博士一直不停的和我交談著。這時，我只好識相的停住，只含糊的說一句：「……因為，我發現那些蜂就像人類。」就立刻閉嘴。於是，大家就快快樂樂的用餐了。

我知道Frtizsche博士並沒聽清楚我最後的那句話，就算聽到了，也不會明白我的意思。可是我相信，如果不是他的夫人那樣瞪著我，我們一定會暢談到深夜的。因為在幾年後，

我曾收到Frtizsche博士的一張風景明信片,那是他去葡萄牙參加一項國際會議時寄來的。

「……我仍然記得那晚,在我們之間最有趣的交談……」明信片上這樣寫著。

那晚我想跟Frtizsche博士討論的「我發現那些蜂會算術」的故事,究竟是怎麼一回事呢?這是我在長期觀察、研究昆蟲行為的生涯之中,最最重要的發現之一。

現在,讓我說明我為什麼會想到要和黃面蜂做一點「算術測驗」。

我在研究蜂的貯糧行為時,曾剖開過許多根竹管,發現牠們在有充分長度的竹管中築巢時,通常會做出四至六個育嬰

●赤面蜂(左圖)和黃面蜂(右圖)所做的育嬰室內(特別是第一、二室),貯存的捲葉蟲,數量大略相同。這似乎代表牠們有相當敏銳的數量觀念。

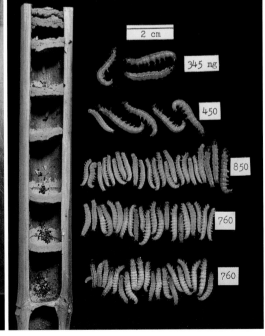

171

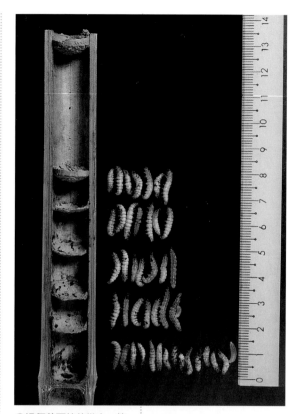

●這個黃面蜂的巢中，第一室因為蟲小所以數量多，其他育嬰室中的蟲較大所以數量較少。

室。而且，在第一室、第二室中貯存的捲葉蟲數量總是大略相同，有的連第三室也相同。（甚至有時各室內的貯存量全都大略相同，但這種情況較為少見。）

無論是黃面蜂或赤面蜂，都有這種習性。一間育嬰室內貯存的捲葉蟲數量多寡，會依蟲體大小而有所變動。蟲體較小時，貯存數目就較多；蟲體較大時，貯存數目就較少。

有些種類的昆蟲會有數量觀念，這並不算稀奇。像某些種類的寄生蜂，在寄主的身體上產卵，孵出後，幼蟲就以寄主的身體作為食物的來源；當寄主的體型越大，寄生蜂在寄主體上產卵的數目也越多。牠們依照固定模式的本能，就會如此行事。

可是，當我發現「黃面蜂的行為會像人類」之後，就開始想要弄清楚：如果牠們的數量觀念也和人類相似，都是能夠活用，而不僅僅是依本能的固定模式，每次做的都是同一數目的話，那麼，牠們能不能做一點數目有變化的算術呢？

在我和Fritzsche博士交談的那天晚上，當他問我：「是什麼事情，會使得你發現昆蟲能做算術呢？」當時，我會說出：「因為蜂的行為會像人類一樣」這句話，其實就是以前面所述的「黃面蜂會感到懷疑」這個事實作為根據。如果我從

未見到這個事實，而只是知道蜂有數量觀念的話，很可能我就不會想到要和牠們做以下的各種算術試驗了。

蜂的加法測驗

我和黃面蜂做加法測驗，進行的方式如下──

第一步，先確定黃面蜂在牠的第一間育嬰室內貯存的捲葉蟲數目是多少；假定是十五隻的話，那麼，可以推想在第二間也將會貯存大約十五隻。好，當牠在第二間內已貯存了五隻，又外出去捕獵時，如果我替牠放進去十隻，這樣，第二間內總共已有十五隻了，數量夠了。但牠會接受這「從天上掉下來的」十隻捲葉蟲嗎？如果是肯定的，牠接下來的動作，就會是封閉這間育嬰室，然後產卵，開始為第三間育嬰室而捕獵、貯存捲葉蟲。

可是，我試驗過好幾次，卻沒有一隻黃面蜂接受我送的「禮物」。當黃面蜂從外面回到巢內，見到裡面擠滿了一堆突然增加的捲葉蟲，牠們會顯出不同程度的驚奇動作，但沒有一隻會表現出「見到巢內有不利的事件發生」時的強烈緊張反應，只是慢慢的在育嬰室內打轉，翻一翻那堆積如山的蟲。過一陣子後，就不再理會那些來路不明的的禮物，照樣繼續外出捕獵。最後的結果是：當牠們封口時，整個育嬰室總是幾乎都要擠爆了！

起先，我有點失望，因為牠們不懂得可以趁機休息休息，去吃一點花蜜，放鬆一下，實在是太不聰明了。可是，我重新再想一想，覺得其實不太聰明的是我，而不是黃面蜂。因為，如果我的銀行存款裡突然有來歷不明的大筆入帳，一夜之間膨脹了二至三倍，我會不會很高興的想：「啊！有好心

●黃面蜂不理巢中來路不
明多出的捲葉蟲，照樣繼
續捕捉捲葉蟲。

人送我錢，不用辛苦工作了，可以去享受人生了！」會是這樣嗎？不！我不會這樣想的。

那麼，這些黃面蜂也是像我一樣老實而聰明嘛，為什麼要認定牠們是愚蠢的呢？

蜂的減法測驗

好吧，就算黃面蜂既老實又聰明，那麼，當牠們發現貯存的捲葉蟲被偷走，數目變少時，會不會特別「加班」，多捉一些來補充損失呢？

我對黃面蜂做幾次「減法測驗」，典型的方法類似這樣：

假定黃面蜂在第一間貯存了十五隻捲葉蟲，然後封室，我們可以判定這就是牠們的「標準存量」。當牠在第二間又貯存了十隻時，我就暗中移其中走八隻，只留下兩隻，看看牠們會不會在發現之後，多抓一些來補足？

當牠們回到第二間育嬰室，突然看到裡面竟然變得幾乎空無一物時，大部分都會表現出來的反應是「震驚」！

「昆蟲感到驚奇的反應動作，有可能會嚴重到可以用『震驚』（shock）這一詞才足以形容嗎？」曾有一位美國著名的昆蟲專家曾這樣質問我。

也許很多人也會如此質疑，可是如果不是在現場親眼目睹，確實是很難相信。我只能以我多次觀察的經驗，試著盡量使用人類極其有限的語彙，來描述當時的情況以及我的感受——

當黃面蜂（赤面蜂也一樣）受到突然而強烈的驚嚇時，牠們的反應會有幾種不同的方式。有一隻黃面蜂的反應是這樣：牠一進到第二間，立刻發現裡面不對勁，牠在育嬰室前急

急停住，觸鬚快速的擺動又快速的停止，速度非常驚人。然後，牠進入育嬰室內，把僅存的兩隻捲葉蟲翻上翻下，好像在檢查什麼似的。幾分鐘後，牠回到竹管入口處，頭部與入口處齊平，並且不停的擺動觸鬚，察看外界，擺出典型的警戒姿勢。兩三分鐘後，牠再度爬入室內，又檢查那兩隻蟲一陣子。然後出來，又到竹管口再警戒一番。過一段時間之後，飛走。幾分鐘之後，又回來，警戒的守著入口，一直到夜幕低垂，然後在竹管內過夜。

第二天一早，牠離開巢，重新開始抓蟲，陸續再貯存五隻蟲後，就開始封室。總計起來，裡面只有七隻，只達標準量之一半而已。顯然牠知道巢內發生過很糟糕的事，但究竟牠能理解至何種程度呢？對於已被偷走的蟲的數目，牠並不會加以補充。

我對四隻黃面蜂測試了五次，看看是否會有做補充者出現。我用的方法每次有點不同，嚴格來說，環境也不是完全一樣，但結果和前述那隻蜂都差不多：沒有一隻黃面蜂會補充損失的數目。其中有一隻，甚至於根本就沒有注意到巢內已發生變化。

真的會做算術嗎？

做過以上這些試驗後，已是民國六十五年的秋末，吹起寒冷的北風，我院子裡的黃面蜂都消失無蹤，大概是冬眠去了。我雖然還想要繼續跟牠們多做一些算術的測驗，看來也不得不做罷。

不料，很意外的，後院一根竹管內竟然停了一隻赤面蜂。

要不要對牠來做算術測驗呢？起初我有些猶豫，因為赤面

蜂的習性「有一點怪」——牠們常會在一根長得可造出三間或四間育嬰室的竹管內，只做一間就離開了。到底遷到哪裡呢？我很少能夠追蹤得到。

另外，黃面蜂通常在我的院子內的固定地方居留，牠們完成一根竹管後，馬上移到附近另一根竹管內繼續築巢，對我來說，這樣比較容易掌握牠們的行蹤，可以有更多機會來研究牠們。可惜在這時候，牠們都不見了，幫不上我的忙。

不過，我在此也應對赤面蜂說句公道話：後來我發現其實也不能說牠們是「怪怪的」。牠們會迅速遷走的原因，是由於牠們知道在同一地點居留過久，容易會被天敵發現。這樣看來，其實應該說赤面蜂是聰明的才對。

總之，我決定要跟這隻最後的赤面蜂周旋了。奇怪的是，牠一直靜靜的停在竹管入口，什麼動作都沒有。在此之前，牠已經在第一間育嬰室裡貯存了三隻捲葉蟲（這是我後來才發現的）。

可能是氣溫太低了，使牠無法工作。一般來說，昆蟲都怕冷。我持續注意觀察，三天後，氣溫回升，牠果然開始動起來了。

可是，牠竟做出令我大惑不解的動作——牠把原先貯存的三隻捲葉蟲一隻隻咬起來，到外面丟掉，然後才開始重新抓來新的獵物。為什麼要這樣做？

我們先來看看赤面蜂幼蟲的生活史。在平均氣溫攝氏三十度下，卵經過大約四十八小時就會孵出幼蟲；而捲葉蟲被抓來放在巢內，鮮度最長能夠保持七天，之後蟲體就會開始腐爛。新孵出來的赤面蜂幼蟲，一開始先吸食捲葉蟲的體液；

慢慢長大，逐漸啃食蟲的身體全部，連皮膚也不留。在六天之內，能吃掉五隻體重約為一百毫克的中等大小的捲葉蟲。一隻年齡四天大的赤面蜂幼蟲食量這麼大，成長快速，一天之內體重就會加倍！幼蟲把母蜂所儲存的捲葉蟲吃光，大約需要七至八天，然後就靜止不動，長達四天之久，身體成熟了，就開始化蛹。

根據上述這些資料，我們可以放心的認定：那隻赤面蜂在第一間所貯存的三隻捲葉蟲，過了三天後，已經不太新鮮，不能作為即將孵出來的幼蜂之食物。母蜂有鑑於此，於是將三隻舊蟲清除掉，然後再去獵取新鮮的蟲。

現在，這隻赤面蜂除舊布新，重新出去抓捲葉蟲回來貯存。在第一間，牠放進七隻蟲，就封上，七隻就是牠的「標準存量」。

當牠已經在第二間內又存進五隻蟲時，我開始跟牠做「減法測驗」：移走了四隻，只保留下一隻。

當牠回巢，要進入育嬰室時，那種「震驚」程度，實在很難描寫──牠突然愣住了，急遽的擺動觸鬚，甚至連帶回的獵物都不放下，在管壁往上急急倒退幾步，又很快爬下，如此重複三次。最後，帶著捲葉蟲飛走了。

在這裡必須說明，先前所做黃面蜂試驗，牠們都是先放下獵物，然後才有一連串的驚嚇反應。但這隻赤面蜂完全不同，一直都沒放下帶回來的獵物。

大約兩分鐘後，牠又飛回來，仍然咬著獵物，爬進竹管，但中途又匆忙地向後轉，爬上入口處；很快的再度爬下，把獵物放在育嬰室內。然後，牠爬回入口處，又在竹管周圍做

了一次巡弋飛行。再度回到育嬰室，花了幾秒鐘擺好裡面的兩隻蟲，然後飛走。大約十五分鐘後，帶回牠所抓的第七隻蟲，可見牠已重新恢復捕捉獵物了。就這樣，牠繼續又抓回五隻，然後封上這一間。

總計起來，實際上牠為第二間共捉來了十二隻（其中有四隻被我取走），而當牠封閉這間育嬰室時，裡面共有八隻捲葉蟲（約860mg）。

那麼，牠是否能夠瞭解自己的行為，以及所發生的事情呢？我的答案是肯定的！

因為接下來，在第三間，牠也貯存了七隻蟲（大約980mg）！

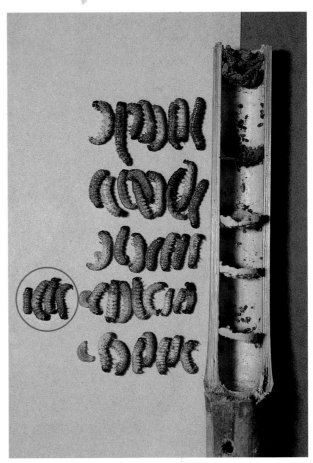

毫無疑問的，七至八隻就是牠的標準存量，而牠之所以會在第二間總共抓了十二隻，確實是要補充損失的用意。

見到這個測驗的過程與結果，我非常興奮，同時也覺得真是難以置信。

雖然我相信牠能做出這種「補充損失」的行為，但還是很難相信牠真的能算出獵物數目和需要填補損失的數目。我想：有沒有可能是因為受到強烈的驚嚇，牠自動關掉了腦袋內可能有的一個「迷你電腦」（牠用這個「迷你電腦」來記錄所捕捉獵物的數目和大約的重量），再重新開始貯存糧食？

●在這根竹管做巢的赤面蜂，會補足被作者取走的捲葉蟲數目。圖中的捲葉蟲，是從竹管中各育嬰室移出來，並按照原先各室位置排好。由下往上算起，第一、二、三列的最左邊，各有一小隻剛孵化的蜂的幼蟲。而竹管中的第四室，則可見到一顆尚未孵化的蜂卵。另外，在圖中最左側（圈圈內）的四隻，是作者做實驗時從第二室中所移走的捲葉蟲。

我反覆的思考這件事的意義，並且熱切的期待著翌年夏日的到來，讓我可以再做幾次同樣的測試，來加以進一步的驗證。

是「迷你電腦」的作用嗎？

第二年初夏，我重複做相似的試驗，用的當然是另一隻年輕的赤面蜂。

這回，當牠在第一間育嬰室內已經存放七隻捲葉蟲時，我移走六隻。牠帶著第八隻獵物回來，先放進室內，才開始察覺事態不妙，急忙檢查僅存的那隻蟲，然後用觸鬚檢查懸掛在內壁上的卵——

這行為的意義非常重要，我可以將它比喻為「愛」——就像一個母親只是出門一下，回來時發現家中有人侵入過，牠的第一個反應，很可能是擔憂家中的嬰兒是否安全無恙，所以會先趕緊去看一看，摸一摸……。

接著，這隻蜂媽媽又檢查蟲，大約一分半鐘，再跑到竹管入口處，待了約二、三十秒鐘，然後飛走。大約十二分鐘後，帶回第九隻蟲，並且在育嬰室內檢查獵物大約四十秒，之後出去，飛走。

大約兩分鐘後，很令我失望的，牠竟咬著泥丸回來，開始封上這一室。牠總共捕捉了九隻蟲（約1120mg），貯藏在這間，但封室時只有三隻而已。

接著，牠在第二間中貯存的量也是九隻（約1170mg）。這證明了這隻赤面蜂在第一間內，並沒有做補足損失的行為。因此，我原先的「赤面蜂可能腦內有『迷你電腦』」的假說，看來也就泡湯了。

　　很遺憾的，就在那一年夏季，由於我原先服務的機關搬遷，由台北移到霧峰，使我不得不跟著離開居住多年的宿舍與植物繁茂的庭院。由於新居不再有適合觀察、實驗昆蟲行為的環境，這項研究也就從此中斷了。

　　如今回想起來，其實我當時那「迷你電腦」的假設也許不一定是錯的──有沒有可能是因為六十五年做實驗的那隻老赤面蜂要把先前貯存的舊蟲處理掉時，牠知道為什麼這樣做，才會關掉「迷你電腦」；而當牠要重新獵捕蟲時需要計算，所以又開啟「迷你電腦」？

　　無論如何，至少我們可以這樣推測：老赤面蜂在清理育嬰室的三隻舊蟲時，牠的心裡應該會有這樣的想法：「現在我要重新開始狩獵，要貯存正確的數量，所以要從新算起。」

　　蜂的心裡會有這種想法產生，所以關掉牠的「迷你電腦」，開始重新貯存。然後，當這隻老赤面蜂，因為見到室內只剩一隻蟲（幾乎全空了）時，是不是可能也會想到：「我必須要重新貯糧了。」所以先關掉牠的「迷你電腦」，再打開，開始捉蟲，並且抓夠牠的標準數量，而結果使得牠看起來像是能做算術一樣？

　　無論如何，我認為這是非常值得繼續探究的事，希望將來能有人能再進一步做研究。

第9章

愛是生之原動力

蜂這樣的努力不懈，實在令我印象深刻。縱然人們會將之視為「本能」，但我仍然以欽佩看待之。蜂的這些表現，到底是由於本能還是智能，我並不那麼在乎。我真正重視的是，驅使蜂表現出這些行為的背後的力量——堅持守護牠的卵，對於後代之愛的強韌力量……

●這隻虎斑蜂獵取了一隻大青蟲，但是蟲太大、太重，使牠無法帶回巢中。

人比昆蟲聰明嗎？

一隻黃面蜂在牆壁邊的一根竹管內築巢，取土的地點很近，所以看起來好輕鬆。要封室時，若照正常程序，牠必須先去喝水儲存在胃裡，再去咬土塊，混成泥丸來使用。可是這隻卻不一樣——在牆腳有一個花盆，盆裡的土是濕的，所以牠直接飛下去，就地咬一口濕土，就飛回來使用了。

看到這一景，我決定來跟牠做個試驗：我用水淹過了盆中的土，看看牠會怎樣反應。

牠又飛下去，想要咬濕土，可是盆中都是水，沒有地方可以落腳。牠在花盆周圍飛來繞去，然後飛回去牠的巢；接著又飛回來，繞著花盆一陣子，又飛回。如此重複三次，確定此計不可行之後，才飛走去別的地方喝水、咬土。除了「重複三次的飛行」之外，其他什麼行動都沒有。

這件事，使我想起了搖籃蟲：當搖籃蟲一決定葉片可用，就會開始檢查葉片的彈性，重複做過數次，為的就是要「再確定」。起初，我覺得搖籃蟲在瞭解問題過程有點緩慢；可是看牠們做這種「再確定」的動作時，似乎不會左顧右盼、猶豫不決。這一點，牠們不是比人類更聰明嗎？

有一位英國的高等物理學家不相信人類會滅亡，他曾公開說：如果地球因為受到有毒的化學物質污染，或因生化戰爭而造成放射性物質充斥，或是由於天候變化等狀況，變得無法居住，人類有可能可以移往其他星球。

我認為他會這樣說，大概是因為身為科學家，所以不得不如此，否則如果他說不可能移往其他星球的話，人們便會批評他是差勁的科學家。如同拿破崙把「不可能」從字典裡除

去一樣，鼎鼎大名的科學家常常也是不使用「不可能」這個字眼。但是後來那位物理學家的想法改變，不再那麼自信了，有一次在公開場合改口說：要遷移到別的星球去居住並非那麼容易。

在地球上，哪種動物到世界末日時還能存活呢？生物學者相信那將是昆蟲！他們如此斷言，倒不一定因為他們是喜愛昆蟲的昆蟲學者，而是有科學上的理由支持的。在幾億年前，最早出現在地球上的動物中，有好幾種是昆蟲，其中包括蟑螂。而那些蟑螂當中，有一些形態和現今地球上的蟑螂差不多，生活模式也可能沒有改變多少。這意味著牠們在地球上歷經各種嚴酷的環境變化考驗，例如冰河時代的酷冷，或以後的炎熱天氣，都很強韌的存活下來了。

事實上，究竟是聰明或魯鈍，有時不易判別。大多數人認為蟲是不聰明的，牠們沒有智能。但是，認真來思考的話，人類自己真的有智能嗎？會有「自我毀滅」傾向的人類，不見得就比沒有這種問題的其他動物來得高明吧？

生存的意義，就是要「延續後代」，一代代繼續活下去。能夠存活下來的物種，其聰明一定會勝過不能存活下來的種類。

昆蟲有母愛嗎？

有一次，我看到一隻虎斑蜂捉到了獵物，是一隻很大的蟲，正要把牠帶回巢；可是因為蟲太大、太重了，牠飛不動。

在一般情況下，虎斑蜂會帶著獵物爬上植物的上端，再從高處掉下，趁著還在空中的時候，振力前飛，這樣可以得到

185

飛行起動力，就能帶著蟲飛回巢中。

　　但這隻虎斑蜂拖著大蟲，爬上雜草的莖時，那根草不夠強韌，蜂帶著蟲一爬上去，草立刻就彎曲垂下，使蜂帶著蟲掉下，跌在地上。牠努力的拖著蟲試了又試，總是失敗，還是爬不上去。我沒耐心繼續看下去，只是心想：牠會不會放棄嘗試努力，丟棄那隻超大型的獵物，重新再去找另一隻帶得動的？不得而知。

　　不過，另一次，我看到另一隻虎斑蜂，也是拖著一隻大蟲，捨空運而改取陸運，爬行了很長距離後，再爬上一根竹管。等牠終於到達頂端，發現上錯了竹管：牠的巢是排列在隔壁的另一根竹管中。於是，牠又拖著獵物，慢慢的下去，馬上找到了築巢的竹管後，再辛苦的爬上去。

　　我們不妨來想像一下：一隻虎斑蜂拖著重物穿梭在野草叢間，冒著被天敵發現的危險，尋找正確的方向，最後終於找到自己的巢址，這個過程可能會是非常艱辛的工作。所以，我推想先前的第一隻虎斑蜂，應該不會放棄那隻大獵物，最後還是會經由陸路，努力的把蟲搬回自己的巢。

　　如果沒有「愛心」的話，是不會完成這麼艱難的工作的。而牠們的愛心，當然就是為了自己即將孵出的寶寶。

如果巢被移動了

　　在我所做過黃面蜂的研究過程中，曾看過以下的例子——有三根竹管並排靠著牆壁，一隻黃面蜂把巢築於正中間的一根。當牠外出後，我拿起牠所築巢的那根竹管來檢視裡面的情形，正好蜂捉了蟲回來了，我來不及把竹管放回原處，只

見蜂直直飛到原先放置竹管的位置，也就是剩下的兩根竹管中間的空位繞著飛，不久就飛走了。看起來，牠認得這個「空位」就是牠築巢的所在。

當時我猜想牠可能是依照「對比」的關係，靠著其他兩根竹管來辨認出原先築巢竹管的位置。於是我做了這樣的實驗：把其他兩根竹管全部移走，看看牠會怎樣？

當蜂第二次再從外面飛回來，仍然直直飛到原先築巢竹管的位置，而且在空中一定的位置繞著飛。這個位置，差不多就是原先竹管的入口處。我把竹管放回原處，蜂立刻就進去了。

我思考著：「這堵牆壁是用磚塊砌成的，是不是由於磚塊排列的圖案中，某一處能成為蜂辨認位置的目標？」但是，我又覺得大概不是，因為我想起有一種會在沙地中築巢的沙蜂，牠們不論沙地的面積多廣大，在沒有任何圖案或目標可做為對比依據的情況下，都能輕易找到巢，即使風吹沙把巢覆蓋了，也依然不成問題。這種能力，目前還無法解釋。

另外有個例子，一隻黃面蜂在巢中貯存捲葉蟲。和平常一樣，剛開始時，牠抓了蟲飛回巢的速度較慢；一段時間之後，就會飛得像子彈般快速。要進去築巢的竹管時也一樣，起先落腳後，慢慢爬進巢內；到後來簡直就像跳進去一樣了。

好，我來跟牠做個試驗——當牠在竹管內已經貯藏了幾隻蟲，趁牠又外出捕獵時，我悄悄的將這根竹管（左邊算起第二根）與第六根竹管調換位置，這兩根竹管的距離為三十五公分，高度差別極大。我想看看當黃面蜂帶著獵物回來時，還能不能以子彈般的速度，衝向已經搬離原位置的舊竹管？

●一隻黃面蜂在左邊第二根竹管內築巢，當牠出外捕獵時，作者把這根竹管跟另一根（左邊算起第六根）換位置，測試牠是否能找得到？

　　只見牠相當快速的，直飛向原先築巢竹管入口的「空中位置」，全然不知那根竹管已經被我換位置了。等到察覺了，就在新竹管周圍飛繞幾秒鐘，之後飛回房子轉角的地方，那是牠通常的飛行路線。然後，再飛到新竹管處，搜尋原來的築巢竹管。繞了一陣子，又再度飛回到房子轉角處，循著通常的航線回來，再飛到新竹管繞飛著。

　　經過如此反覆三次（又是重複三次同一行動），確定沒有飛錯路線之後，牠才慢慢的飛向新竹管（原左邊算起第六根）的入口處，但從沒有停下過。接著，牠去檢查了第四根竹管，突然發現原來築巢的竹管就在下面，於是牠很快的飛下去，停在上面，又很快的爬了進去。這次只費了兩分多鐘，便認出竹管的新位置。然後，牠把獵物放入巢內，就很快的恢復出去捕獵了。

　　可是，重新開始貯存捲葉蟲的第一次，牠帶著蟲回來時，已忘了竹管位置已經改變，而直接飛向第二根竹管（舊位置），在竹管周圍繞了幾秒鐘後，才想起築巢的竹管已經移到

別的地方，所以再直接飛過去。

等牠再度外出狩獵時，我再把牠築巢竹管換回到原來位置。當牠回來時，直接飛向第六號竹管處，發現不對後，開始重新來一次「辨認、找尋」的過程，這一次，牠花了大約三分鐘才找到原來築巢的竹管。

在這裡，我要強調的是：蜂會重複同一行動三次，正是代表著牠們沒有那種「想要這樣，想要那樣的『對比』的問題」。

如果大環境也改變了

現在，我們不妨再繼續來看蜂對後代的愛到底有多大？

巢的四周環境沒有變，只有巢的位置被移動的話，沒關係，蜂遲早會把它找出來。可是，如果把大環境也改變了，牠會怎樣呢？接下來，我做了這樣的試驗——

原本在爬藤的牆壁上插有一根竹管，有一隻黃面蜂在裡面築巢，當黃面蜂在巢內貯存了七隻蟲時，我把一片藍色的塑膠板（240公分×75公分）放置在牆壁前面。塑膠板前面放一個木架子，以便安放九根竹管。

黃面蜂離巢後，我把牆上這根竹管取下，放在木架上，其他八根竹管都是空的。

黃面蜂帶著第八隻蟲回來時，很自然的，直接往原巢所在的牆壁上飛去。牠大約花了四分鐘，一直貼著牆壁飛來飛去，漸漸的地擴大飛行範圍，想找出牠築巢的竹管。在大約第五分鐘，牠才第一次飛向塑膠板左角，但是立刻又回到老地方，繼續毫無結果的搜尋。

在前十分鐘的搜索中，牠曾有三次飛到塑膠板的上方，但

從沒注意到板子下方的竹管。最後，終於飛走。我想牠大概是放棄了。

但是兩分鐘後，又飛了回來，原先抓著的獵物已經拋棄了。牠繼續在老地方又找了一陣子，然後移到塑膠板上方，開始注意下方的竹管。從空中三次檢視竹管後，飛向左方，然後飛回來，停在第五根竹管上，查視一番，接著，牠向上飛，移到右邊，終於在空中發現牠築巢的竹管，立刻飛下來，爬了進去。這一次，全部總共花了二十分鐘才找到。顯然的，牠是經由視覺，在空中找到自己的竹管。

牠在竹管內停留約一分鐘後，飛了出來，在竹管附近飛來飛去，可能是在熟悉地形。然後，開始繼續捕捉、貯存捲葉蟲的工作。總共又捉了五隻，然後便一去不返，連育嬰室都沒封閉。

巢的位置已經被移到怪異的、很不自然的地方，這隻黃面蜂為什麼還會繼續抓蟲呢？也許是由於「不能在中途停止任

在圖中人所指的位置，有一隻黃面蜂在築巢。當牠不在時，作者改變附近環境：放上藍色塑膠板和木架，而且把牠築巢的竹管也移到塑膠板前方木架的最右邊，測試牠回來時是否還能找得到原來築巢的竹管？

一階段工作」的本能，使得牠會繼續獵捕捲葉蟲。

為何牠不封閉這育嬰室呢？是不是在一個階段結束，要進入下一階段而必須改變工作時，牠的腦筋才會開始運作，想到這裡並不是築巢的適當地方：太陽會直射、雨水會入侵，可能危害將要孵出來的幼蜂……等，照這樣繼續做下去，只是浪費體力罷了，所以乾脆放棄算了？

無論如何，牠曾經足足花了二十多分鐘繞著巢飛行，也離開過一次。那次的離開，我起初認為牠要放棄了，沒想到牠又回來了，一心一意搜尋牠的巢……後來牠又勉強自己，飛進有藍色塑膠板做為背景的那麼炫目華麗的地方。不過，最後牠又認清此地並不是適當的築巢地方時，便離決定離去，因為這類狩獵蜂通常都會避免在光亮的地方築巢。

蜂這樣的努力不懈，實在令我印象深刻。縱然人們會將之視為「本能」，但我仍然以欽佩看待之。蜂的這些表現，到底是由於本能還是智能，我並不那麼在乎。我真正重視的是，驅使蜂表現出這些行為的背後的力量——堅持守護牠的卵，對於後代之愛的強韌力量。

的確如此，如果動物的生存有一點點意義的話，那必定是「延續後代」。而所依賴的，便是愛的力量。我要這麼強調。

能像鴿子一樣歸巢嗎？

從前述的各項試驗，我發現黃面蜂能夠查知牠的巢被移動位置，甚至連周圍的環境都被改變後，牠還是找得到。

我還要再試試看：如果把牠移到外地，牠將如何應付呢？當牠在巢內工作時，如果被「綁架」到完全陌生的地方，是

●這隻黃面蜂正在作竹管封口動作時，作者用玻璃試管將牠捕捉、裝入，然後用棉花塞住試管口。

不是也能像被外放的鴿子一樣，可以找到回家的途徑，回到巢裡，繼續其未完成的工作？

以下三次試驗中的黃面蜂，都是在牠們將要封閉竹管口時，用玻璃試管裝入，帶到不同的地點放飛。

第一次試驗，是在日落前一小時，我把黃面蜂捉起來，帶到巢南方大約五百公尺處放飛。這裡靠近牠們覓食的地方，但不大可能是牠們捕獵之處。結果，第二天清晨，大約在日出後兩小時，牠就飛回來了。

第二次試驗是在正午，將捉來的黃面蜂帶到巢西方大約五百公尺處放。這裡靠近交通頻繁的馬路，而且植物稀少，黃面蜂不可能曾來過。結果，兩小時後，牠就飛回來了，並且繼續完成封巢的工作。

第三次試驗，是在正午前，將黃面蜂帶到巢西北方大約一公里半的地方。這裡正好在交通混亂的大馬路上，是黃面蜂一輩子都不可能到過的地方。釋放後十分鐘，突然下了一場大雷雨，連續下了三、四小時。第二天早上，仍未發現牠的蹤跡，我猜想牠可能已被大雷雨打死了。但是，剛過正午，卻發現牠就在巢內繼續未完成的工作，不過，牠看起來有一點累，工作有點慢。

看到這隻蜂的行為，使我想起多年以前曾在《讀者文摘》上讀過的一則真實故事——

加拿大有位五十八歲的男子Ron Woodcock外出打獵。他原任職於鐵路局，為了貼補家用，請長假到荒野設陷阱捕捉水獺，因為水獺皮可賣得好價錢，讓他能夠扶養六個孩子。

　　有一天，他在荒野中迷路了。由於當地礦藏豐富，使得指南針都靠不住，而來時的路也已經無跡可尋。迷路後第二十五天，食物吃盡，只能依賴野生植物維生。到第四十三天，他的體力已經逐漸漸不支，又勉強撐到第五十天，他心想這回恐怕要認命了。但他不甘心，繼續依靠著「想要和家人見面」的堅強意志，來支持著活下去。一直堅持到第五十七天，他的眼前忽然豁然開朗──他走上土路了！最後，終於被一輛路過的汽車搭救，送到醫院。這時，他的體重已從原先的一百七十磅下降到一百磅！如果沒有對於家人的愛，他一定是無法忍受那樣的煎熬，終而能克服苦難。

　　我想說的是：雖然沒有人真正知道人類是如何來到這個地球上。可是我們可以說：一定有偉大的力量，造出了這星球上舉目可見的一切萬物。我認為這個「力量」就是「神」；或者說，「神」的實體，就是「偉大的力量」。神給萬物生存下去的力量，而這力量源自於神的愛。

　　當那隻遠途歸來、疲累無比的黃面蜂，在我眼前緩慢的、吃力的飛著，在牠的巢和取土處之間持續來來去去，這時候，在荒野中迷路、掙扎著走出困境的獵人Ron，他那執著的影像，同時也在我眼中浮現，疊印在這隻黃面蜂身上。

　　這隻受難的蜂媽媽，突然遭到既暴烈又長久的大雷雨無情的打擊，獨自在完全陌生的都市水泥叢林之間摸索、穿梭、尋找方向，飢寒交迫，還要努力避開馬路上熙來攘往的各種可怕的車輛……最後，終於堅持回到了牠那有著「寶貝卵」的巢。

　　跟荒野中死裡逃生的獵人Ron一樣，這一切，如果不是有著堅定的「愛的力量」，絕對是做不到的。🐝

結語

用愛去思考

通常，昆蟲的行為是由「本能」驅動的。不過，在日常生活中有時遇到困難，牠們卻會修改本能行為模式來解決問題。而這種解決問題的能力，會隨著個體差異而不同，並非因種別差異而不同。遇到的問題如果是自然情況下很難發生的，比方說：人類為了實驗研究的目的，而製造出來為難昆蟲的問題，那麼，有些昆蟲個體仍然能以合理的方法來解決，但是也有別的個體還是無能為力。這種解決問題能力的個體差異，即使在自然環境下還是存在的；有些個體無論如何就是沒有解決的能力。

自然界不可能有很多可以讓昆蟲思考、關心的事物，但是我們人類有可能沒有注意到：牠們會想到什麼。甚至於當昆蟲在思考時，我們也不能察覺，除非是牠們經思考後表現出來的行為很像我們人類的行為。有些種類的蝴蝶會因自然環境的改變而遷徙；牠們決定遷徙時有沒有經過思考，我們無從得知，因為我們沒有與蝴蝶類似的遷徙行為。

有專家強烈反對用「擬人法」來描述動物的行為；原理上，他們是錯誤的。人如果堅信人類是地球上最聰明的生物，那麼，將不會在「動物行為學」這門科學領域裡有驚人的新發現。

我們努力思考以求知，在這過程中會遇到什麼麻煩呢？我的觀念是：要有反面對照的東西襯托，才能「看到」一件東西。同理，也是要有反面對照的事情做襯托，才可能「思考」出一件事情。例如：如果要想到「好的」，我們必須能同時想到「壞的」，才能襯托出成對比的「好的」。「好」與「壞」互相對照，才能夠產生出我們思考的運作動力。

人們使用智能來造出「對比」，用這種方式來思考「本能」

，探討它到底是什麼，這時可能會是：竭盡所能也無從知道真正的本能是什麼。因為真正的智能是什麼，本身就是一個大問題。

人類有最高的智能，我們一直傾向於如此認為。但是，識者憂心，也許將來有一天，人們會聰明反被聰明誤，會因為自身的聰明而滅亡。

那麼，我們就應該放棄「用思考以求真理」的努力嗎？那可未必。上天賦予人類心靈，人們若是用心靈思考，而不是用頭腦（對比思考），也許反而能夠得到真理。

「真實」與「模擬」，兩者可構成「對比」，這個道理很少人會不懂。可是這種對比會消失於「愛」之前；而愛，正是心靈所產生。

舉一個例子，比如演戲──戲中悲劇的女主角（真實），由女演員（模擬）表演得讓觀眾感動流淚。在觀眾的眼中，在這一刻，女演員（模擬）就等同於劇中女主角（真實），兩者合而為一。此時模擬者變成為真實者，兩者原先構成的對比已經消失於無形。

這是什麼原因造成的呢？就是愛！當女演員融入劇中角色之悲哀，由於「同情」而滋生出愛。這種愛，會產生出一種力量，可作為思考的動力。當人們用這種愛來思考時，「事實」與「模擬」所構成的對比就會完全消失了。

為什麼觀眾會感動得流淚呢？那是因為人類的精神上有一種特質，心理學家稱它為「同理心」或「移情作用」（empathy）。觀眾因為這樣的作用，完全能體會女演員對劇中角色的「愛」，而愛，會使人感動流淚。

當我們遇到難題時，如果也能將「尋求對比思考的頭腦」

放置一旁，換成「用愛去思考」，用大愛作為思考的原動力，相信任何問題都可以迎刃而解了。

當我們開啟心靈之窗，與大自然密切交談，去擁抱周遭的一切，與自己融合為一，這時，我們就會發現由這「合一」所自發而生出來的情感，既純潔又強大，而且無比的平靜。這就是真正的大愛──也就是一切愛的根源。

唯有愛，才能使我們思考正確，認識真理。唯有愛，才能引導「萬物之靈」的人類離開自我毀滅之途。我是這樣堅信的。🐝

後記

　　從民國五十七年（1968）起，我開始拍攝一部昆蟲影片，前後花了將近十年時間才終於完成。

　　這部影片，引起「英國廣播公司」（BBC）的注意，特地在六十四（1975）年四月來台製作一部電視專輯：「李博士的昆蟲世界」（The Insect World of Dr. Lee）。翌年一月十一日，在英國電視上播映出來，觀眾的反應相當熱烈。

　　民國六十六年（1977）九月，我以昆蟲影片“The Hidden Events”參加美國攝影協會舉辦的第四十八屆「國際電影節」，很意外的，獲得專業組的首獎。這件事，引來美國著名的自然雜誌《史密森尼》（Smithsonian），以「封面故事」的方式為我做專題報導，刊登在當年十一月號上。

　　而這篇報導，更引起美國一家教育書籍出版社Barron's的興趣，進而來邀約我撰寫一本有關昆蟲生活的書。因此，我花了兩年時間，將我對於昆蟲研究、觀察與實驗的心得與資料，寫成英文原稿，並附上我多年來苦心拍攝的昆蟲圖像，交給Barron's出版社。

　　世事難料，由於種種因素，英文版最後未能出版；倒是由國內「白雲文化事業公司」將英文原稿翻譯後，在民國七十年（1981）出版了《昆蟲世界奇觀》這本書。當時雖然獲得相當大的迴響，但我自己並不盡滿意，尤其是對於譯文的正確性與編排設計部分。後來，因為出版社結束營業，這本書也就絕版了。之後陸續有不少人向我提及，對再也買不到此書感到相當惋惜。

　　這些年來，我一直想要將《昆蟲世界奇觀》的內容重新精煉、改寫。我不斷的苦思竭慮，但對一些關鍵之處，總是無法得到最妥當的解釋，因此就使得新書的工作延擱下來。

　　經過多年後，突然有一位加拿大籍的昆蟲學家石達愷（Christopher K. Starr）博士，拿著《昆蟲世界奇觀》來訪。正在台中科學博物館當客座研究員的他，得

知這本書的英文版未能出版，就對我說：「你無論如何都應該完成英文版，我願意盡一切方法來幫忙。」同時又鼓勵我：「自法布爾以來，沒有人做過像你做的這種研究，你的發現是非常有價值的。」Starr博士更建議我把重點放在自己所發現的部分。此時，我已將當年我所觀察的事實背後所隱藏的意義，想得更加通徹、明白，所以也希望新書能針對昆蟲是否除了本能外，還有智能，甚至可以表現情感的觀點加以深入闡述與探討。

雖然我也很想積極的進行，可是老天不幫忙：自少年時期便一直糾纏、困擾我的視神經毛病，在這時候更加的惡化，使我寫不到幾頁就不得不停筆休息。這種狀況，實在令我力不從心。

之後，結識了一位日本化學工程師富樫直孝先生，當他得知我這本新書中的重點後，很嚴肅的說：「如果你不把它完成來讓世人知道的話，將是罪惡！」他並熱誠的表示願意協助日文版的發行。遺憾的是，他回日本不久就病逝了。但他所強調的「罪惡」兩字，深深的刺激著我的心，永難忘懷。

幾年前，作家莊展鵬先生開始進行我的傳記故事之採訪、撰寫，他也同樣的熱切期盼能見到這本新書。如果不是他長期誠摯的鼓勵與不懈的敦促，以及積極協助整理初稿，再加上遠流的編輯以「超越專業精神的精神」來編輯此書，這本書是不可能以如此的形式問世的。

在此特別感謝「財團法人國家文化藝術基金會」的補助，才使得本書能夠順利的完成。

最後，對於我的家人長期的支持，尤其是女婿周俊民先生花了很多精神，整理我半英文半中文的原稿，也一併致謝。

李淳陽

2005年2月於台北‧內湖

國家圖書館出版品預行編目資料

李淳陽昆蟲記：昆蟲心智解碼實錄／李淳陽 文‧攝影.
台灣館／編輯製作 -- 初版. -- 臺北市：遠流，2005〔民94〕
　面；　　公分. —（觀察家博物誌；4）
　參考書目：面
　ISBN 957-32- 5488-3（精裝）

1. 昆蟲 － 通俗作品

387.719　　　　　　　　　　　　　　　　　94003951

觀察家博物誌4

李淳陽昆蟲記——昆蟲心智解碼實錄

文‧攝影──李淳陽

（本作品由財團法人國家文化藝術基金會贊助創作）

編輯製作──台灣館

主　　編──黃靜宜　　編　　輯──洪致芬
美術主編──陳春惠

發行人──王榮文
出版發行──遠流出版事業股份有限公司
　　　　　台北市南昌路2段81號6樓
　　　　　郵撥：0189456-1　電話：（02）2392-6899
　　　　　傳真：（02）2392-6658
著作權顧問─蕭雄淋律師
法律顧問──王秀哲律師‧董安丹律師
輸出印刷──中原造像股份有限公司
□2005年3月31日　初版一刷

行政院新聞局局版臺業字第1295號
定價450元（缺頁或破損的書，請寄回更換）
著作權所有‧翻印必究 Printed in Taiwan
ISBN 957-32-5488-3
YL遠流博識網 http://www.ylib.com E-mail:ylib@ylib.com